大家小书

中国古代音乐与舞蹈

阴法鲁 著
刘玉才 编

北京出版集团公司
北京出版社

图书在版编目（CIP）数据

中国古代音乐与舞蹈 / 阴法鲁著；刘玉才编. —
北京：北京出版社，2018. 7（2024.7 重印）
（大家小书）
ISBN 978 - 7 - 200 - 13484 - 1

Ⅰ. ①中… Ⅱ. ①阴… ②刘… Ⅲ. ①古代音乐—音乐史—中国②古代舞蹈—舞蹈史—中国 Ⅳ. ①J609. 22 ②J709. 2

中国版本图书馆 CIP 数据核字(2017)第 267023 号

总策划：安　东　高立志　　责任编辑：司徒剑萍　魏晋茹

· 大家小书 ·

中国古代音乐与舞蹈

ZHONGGUO GUDAI YINYUE YU WUDAO

阴法鲁　著　刘玉才　编

*

北京出版集团公司
北京出版社　出版

（北京北三环中路 6 号　邮政编码：100120）

网　址：www. bph. com. cn

北京出版集团公司总发行

新华书店经销

北京华联印刷有限公司印刷

*

880 毫米 ×1230 毫米　32 开本　9.625 印张　146 千字

2018 年 7 月第 1 版　2024 年 7 月第 3 次印刷

ISBN 978 - 7 - 200 - 13484 - 1

定价：49. 00 元

如有印装质量问题，由本社负责调换

质量监督电话：010 - 58572393

汉代乐舞群俑

汉代宴乐群俑

红陶黄绿釉宴乐女俑群—现藏故宫博物院—隋

陶伎乐女群俑—现藏故宫博物院—唐

麦积山石窟第4窟第3龛外上方一组弹阮咸飞天—北周

莫高窟第112窟南壁观无量寿经变中的舞乐图—中唐

榆林窟第25窟南壁观无量寿经变中的乐舞图—中唐

总　　序

袁行霈

“大家小书”，是一个很俏皮的名称。此所谓“大家”，包括两方面的含义：一、书的作者是大家；二、书是写给大家看的，是大家的读物。所谓“小书”者，只是就其篇幅而言，篇幅显得小一些罢了。若论学术性则不但不轻，有些倒是相当重。其实，篇幅大小也是相对的，一部书十万字，在今天的印刷条件下，似乎算小书，若在老子、孔子的时代，又何尝就小呢？

编辑这套丛书，有一个用意就是节省读者的时间，让读者在较短的时间内获得较多的知识。在信息爆炸的时代，人们要学的东西太多了。补习，遂成为经常的需要。如果不善于补习，东抓一把，西抓一把，今天补这，明天补那，效果未必很好。如果把读书当成吃补药，还会失去读书时应有的那份从容和快乐。这套丛书每本的篇幅都小，读者即使细细地阅读慢慢地体味，也花不了多少时间，可以充分享受读书的乐趣。如果把它们当成补药来吃也行，剂量小，吃起来方便，消化起来也容易。

我们还有一个用意，就是想做一点文化积累的工作。把那些经过时间考验的、读者认同的著作，搜集到一起印刷出版，使之不至于泯没。有些书曾经畅销一时，但现在已经不容易得到；有些书当时或许没有引起很多人注意，但时间证明它们价值不菲。这两类书都需要挖掘出来，让它们重现光芒。科技类的图书偏重实用，一过时就不会有太多读者了，除了研究科技史的人还要用到之外。人文科学则不然，有许多书是常读常新的。然而，这套丛书也不都是旧书的重版，我们也想请一些著名的学者新写一些学术性和普及性兼备的小书，以满足读者日益增长的需求。

“大家小书”的开本不大，读者可以揣进衣兜里，随时随地掏出来读上几页。在路边等人的时候，在排队买戏票的时候，在车上、在公园里，都可以读。这样的读者多了，会为社会增添一些文化的色彩和学习的气氛，岂不是一件好事吗？

“大家小书”出版在即，出版社同志命我撰序说明原委。既然这套丛书标示书之小，序言当然也应以短小为宜。该说的都说了，就此搁笔吧。

导　读

阴法鲁先生（1915—2002），山东省肥城县人，著名古典文献学者和音乐舞蹈史专家。1935年考入北京大学中文系读书，1939年在昆明西南联合大学中文系毕业。1942年昆明北京大学文科研究所首届研究生毕业，获硕士学位。历任昆明北京大学文科研究所研究助教，武昌华中大学（迁滇）副教授，北京政法学院副教授，中国科学院历史研究所副研究员，北京大学副教授、教授，中国文化书院导师，北京市音乐舞蹈协会副主席，国家古籍整理出版规划小组成员诸职。主要论著有《唐宋大曲之来源及其组织》、《宋姜白石创作歌曲研究》（与杨荫浏先生合著）、《从敦煌壁画论唐代的音乐和舞蹈》、《从音乐和戏曲史上看中国和日本的文化交流》、《关于词的起源问题》、《古文献中不同语言的译语校注问题》等，结集有《阴法鲁学术论文集》（中华书局，2008）。20世纪70年代，阴法鲁先生参加中华书局本廿四史的整理工作，具体负责《隋书》的点校定稿。此外，还主编有高校文科教材《中国古代文化史》，荣获教育部、北京大学等各项奖励。

阴法鲁先生的主要研究方向为古典文献学和中国文化史，侧重古代音乐舞蹈研究，在古代音乐与文学交叉领域的研究有突出贡献。1939年，阴先生于西南联合大学毕业之后，即考入北京大学文科研究所，与逯钦立、马学良、周法高、杨志玖、王明、任继愈等成为该所西南联大时期首届研究生。阴先生的研究生导师为罗庸（膺中）、杨振声（今甫）先生，两先生为其确定的研究方向为“词之起源及其演变”。罗庸先生还拟定了详细的研究工作指导说明书，并提示三点研究进阶：其一，唐五代宋词调之统计及时代之排比；其二，就各调之性质分类，溯其渊源；其三，依性质及时次，重编一“新词律”，主要在调名题解及说明其在文学史上之关系，不重在平仄律令之考订。罗庸先生把随身携带的清万澍《词律》和清徐本立《词律拾遗》两书交由阴先生剪贴，编成《词调长编》，另外编集《乐调长编》，然后以两长编为条目，归纳门类，辑录资料，强调要“从乐曲之见地，溯其渊源，明其体变”。在扎实的文献工作基础上，阴先生得以进入唐宋音乐与文学关系领域的探究，并认识到研究古代诗歌体裁的发展嬗变，首先必须研究当时乐曲形式的发展嬗变。循此思路，阴先生在罗庸先生指导下，撰写完成毕业论文《词与唐宋大曲之关系》。大曲是燕乐之一种，每曲由十余乐章组成，结构颇为复杂。其为唐代梨园法部所用者，谓之“法曲”；如仅截取其后半部分，则称为“曲破”。大曲盛行于唐宋时期，且堪称两代音乐最高之典制。大曲影响所及，不惟产生若干词调曲调，即宋之杂剧、金之院本、元之杂剧，亦莫不承其余绪，在文学史上占据重要地位。王国维先生著有《唐宋大曲考》，开大曲研究之先河，然所论仅限宋代，唐代大曲较少涉及，宋代部分亦失之简略，且颇有可商榷之处。阴先生论文在王国维先生研究的基础上，全面梳理大曲的来源与组织结构，进而深入分析词调与大曲之关系、大曲曲词之特征，探究词的起源问题。因为相关研究植根于深厚的音乐史背景，且视角独到，故其论述推理缜密，结论颇具说服力。

阴先生的研究结论，澄清了唐宋大曲及其与文学关系研究的许多关键问题。如唐梨园法部所演奏之法曲，实即大曲，或有以为古代之遗音者。清儒凌廷堪《燕乐考原》即指法曲出于清商三调，“天宝法曲即清商南曲”。阴先生条分缕析，多方举证，论定凌说之非，法曲不能等同清商，遂为定谳。至于大曲的来源，阴先生认为，既有对清商乐“相和大曲”的继承，又有传自西域者，还有根据西域音乐自造者。唐宋大曲的特征有三，即多遍，具备序、破之组织，配舞，缺一不可。遍，亦作“徧”“片”，虽为乐曲单位名称，然所指范围有大小之别。大曲包括的许多可以独立之小曲，相对于整部大曲而言，谓之“大遍”；而就其中一节而言，则有排遍、攧遍、衮遍诸称，此“遍”也有称“叠”者，大致相对于西方音乐中的乐章，而所谓“小遍”，即指大曲中可以独立之乐章；每遍所包括之小曲，也有不止一曲者。此种小曲，或亦谓之“遍”，或谓之“叠”，或谓之“阕”，源光圀《大日本史·礼乐志》谓之“帖”。大曲虽有多遍，但结构大致为三部分，即白居易《霓裳羽衣歌》描述之散序、中序和破。王国维《唐宋大曲考》云：“顾大曲虽多至数十遍，亦只分三段：散序为一段，排遍、攧、正攧为一段，入破以下至煞衮为一段。”此正可与白氏散序、中序、破相对应。散序部分没有拍子，也不配以舞蹈，然别具一种悠扬婉转之情调。大曲自“排遍”开始有拍。“排遍”亦称“叠遍”，因大曲各遍内包含小曲不止一曲，而尤以排遍为多，故谓之“排”“叠”。任二北《南宋词之音谱拍眼考》认为“排遍之排谓排匀也”，恐失之穿凿。王国维《唐宋大曲考》云：“唐以前，‘中序’即‘排遍’，宋之‘排遍’亦称‘歌头’。”然唐大曲之中序与宋大曲之歌头，两者虽地位相当，仍有可区别之处。宋大曲虽然歌者自排遍起，但与歌头得名之由来，无甚关涉。根据文献记载，唐五代已有“歌头”之说。排遍起歌，则歌头必为排遍之第一遍，可由宋人作品证明。大曲多遍繁复，故至于宋代，管弦家在普通演奏时，已多截取某一部分。此截取之部分，即谓之“摘遍”。摘遍之法盛行，影响有二，即词家选择大曲之摘遍以填词，曲家就摘遍衍生创制性质不同之独立乐曲。

虽然治学继承了注重文献的朴学传统，但阴先生的学术视野并未局限于此，而是接受了现代史学的进步理念，非常重视古文献资料与文物资料的结合、与社会调查资料的结合，以及中国材料与外国材料的结合。他认为，文献记载虽是研究古代音乐文化史的主要资料，但古文献中有记载过于简略、不周密、不具体或疏漏、错误、伪托的情况，需要用文物资料和社会调查资料来加以补充、澄清和订正。如商代甲骨文中有“樂”字，像木板上张着丝弦，有学者认为其原来就是一种弦乐器。阴先生认为，木板上张着丝弦，还必须有共鸣器，才能发出较高的音响。甲骨文中就有一个带底座的“樂”字，底座大概同时就是共鸣箱。这种乐器可能就是古琴的原型。湖北随县曾侯乙墓以及长沙马王堆汉墓出土的古琴，琴面板的背部有槽，和另一块有槽的底板相合后，才能构成共鸣器，这是商代以来的遗制。当时因限于工艺水平，还不能做出固定的中间保留较大空间的共鸣器。古文字和古文物的实证反映出一种乐器形成发展的过程，可以弥补文献记载之不足。阴先生还对敦煌石窟壁画和藏经洞文献研究倾注了极大热情，先后撰写了十余篇论文，利用敦煌壁画资料，结合文献记载与传世文物，考察唐代的乐器、服饰、舞姿，解读舞谱，描摹丝绸之路文化交融的盛况。阴先生的敦煌艺术研究成果，在许多方面都具有开创之功。

社会调查是近世学术颇为倚重的研究手段，阴先生较早地将其引入音乐文学研究领域。比如他注意到各地民歌，特别是西南地区的山歌，许多都采取唱和形式，即领起部分和应和部分相结合的形式。而古代许多入歌作品，亦有此例。遂参照分析中国古代诗歌的唱和形式。西安及其近郊流行一种传统的民间音乐，称为“鼓乐”。据学者研究，鼓乐保存着某些唐宋大曲的遗迹。阴先生认为这是极有价值的资料，推测鼓乐中所用的独奏、轮奏、合奏等演奏方式，应存在于唐宋大曲之中。鼓乐演奏时还有穿插乐段、变奏、加花等手法，乐谱之外有口传心授的部分。依例可以想见，唐宋大曲在演奏时，于乐谱之外，或有即兴穿插补充之处。1959年，阴先生与历史研究所的同事参加西藏文物调查，历时四个月，遍览西藏重要寺庙。其间，他特别关注各寺庙残存的乐器、壁画和经书文献，并据此考察吐蕃文化与敦煌文化的关联、西藏文化与内地文化的联系。此类研究，当时还很少有人涉足。

对于国外材料的利用，阴先生在敦煌音乐舞蹈艺术研究方面，已经做出了很好的示范。他在考察敦煌壁画描摹的乐器、服饰、舞蹈时，穷究其地域背景，并引用不同文种的文献和社会调查资料予以佐证。如考察敦煌壁画乐器时，即引用到日本宫内省存藏的腰鼓、羯鼓实物，日本信西古乐图描绘的羯鼓、揩鼓，以及亚述的铜铙等国外材料。论及“答腊鼓”，则联系到新疆维吾尔族仍在使用的名为“答普”的手鼓，并引用唐代张祜《周员外席上观柘枝》诗句“画鼓拖环锦臂攘”为例，指出类似形式的鼓，法文称“昙不腊”，英文称“昙波铃”（tambourine），阿拉伯人称“塔波儿”，都是源于同一语根。类似的考证事例再如：商代甲骨文“龠”字是一种编管乐器，至战国时代称为“箫”或“籁”。用竹管排比而成，即指排箫。至今国内外有些民族语言称管乐器为“奈伊”（nay），和“籁”的读音相近。如维吾尔语称笛为奈伊，中亚各族语称管乐器为奈伊，特别是匈牙利语和罗马尼亚语，就称排箫为奈伊。在古代汉语中，有些方言 l 和 n 往往不分，因此，nay很有可能是“籁”的音译。阴先生还对中外音乐文化交流史进行了全面而深入的研究，撰写了《丝绸之路上中外舞乐交流》《唐代中国和亚洲各国音乐文化的交流》《从音乐和戏曲史上看中国和日本的文化交流》《历史上中国和东方诸国音乐文化的交流》《古代中国与南方邻国的音乐文化交流》《明清时代中外音乐文化的交流》《利玛窦与欧洲教会音乐的东传》《近代澳门与中外音乐文化的交流》等论文，学术贡献卓著。

综观阴先生的治学经历，我们深切地感受到，他在学术切入点和研究对象的选择上，明显具有现代学术的眼光，而在研究方法上，则既崇尚传统朴学功夫，强调文献基础，同时又接受现代史学重视文物考古和社会调查资料的先进理念。因此，他的研究选题虽然角度不大，对象冷僻，但立论甚高，视野开阔。阴先生并不是一位书斋型学者，他的学术追求都是尽力与实践相结合，服务于现实。他为校外音乐舞蹈史学界培养的不少人才，都成为指导古代音乐舞蹈实践的骨干。他本人还与著名音乐史家杨荫浏先生合作，研究南宋词人姜夔，解译其词曲乐谱，令宋时的吟唱再现于七八百年后的舞台。20世纪80年代，驰名中外的民族舞剧《丝路花雨》，其辉煌成功的背后也有艺术顾问阴先生的一份贡献。

受业 刘玉才 于北京大学大雅堂

目 录

乐

舞

乐

中国古代的音乐文化

中国古代的音乐文化有悠久的历史和丰富多彩的内容，是中国各族人民世世代代共同创造的辉煌成果。它的发展的历程可以分为六个时期。

一　先秦时期的音乐

关于远古时代的乐舞，《吕氏春秋·古乐篇》曾有三人执牛尾，投足而歌的想象，虽然不可尽信，但对古人这种纯朴的歌舞方式的想象还是有一定道理的。青海大通县上孙家寨墓地出土的舞蹈纹陶盆，内壁画着三组舞人形象，每组五人，手拉着手化装跳舞，动作整齐协调，似乎在边舞边唱，反映出新石器时代人们文化生活的片断。甘肃玉门火烧沟出土的新石器时代晚期陶埙，有一吹孔、两按音孔，可发四个乐音，构成四声音阶。山东潍坊市姚官庄出土的新石器时代晚期陶埙，有一吹孔、一按音孔，可发小三度音程的两个乐音。确定的夏代音乐史料还没有发现。商代的音乐文化已经发展到相当高的水平，当时的乐器虽然现在发现的还不多，但有些已反映出重要的史料价值。如河南辉县琉璃阁殷墓出土的陶埙，有五按音孔，可发八个连续半音。[①]上述各类陶埙由于是烧制器物，所以能在地下保存下来，但它们不能全面地也不可能准确地反映当时乐律发展的水平。现在根据它们所显示的数据，只能看出一个乐律发展的轮廓。这个轮廓却足以说明我国古代乐律发展的轨迹。此外，还有出土的鼓、钟、磬、编钟、编磬、铙、铃等，说明乐器也相当丰富。

商代的甲骨文中有不少乐器名，不仅种类多，而且字形也表现出乐器已经达到相当复杂的程度。这都是音乐文化发展的标志。如：

龠（籥）　樂（乐）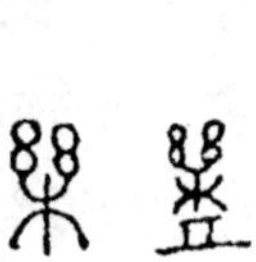

① 关于古代陶埙，近年来乐律学家做了大量的调查研究工作。今据刘东升、袁荃猷：《中国音乐史图鉴》。

它们都反映了乐器的形状。郭沫若认为“‘龠’像编管之形，从，示管头之空。”[①]“樂”像木板上张着丝弦，有的学者认为它原来就是一种弦乐器，可以解释为象形字。木板上张着丝弦，必须有共鸣器，才能发出音响。上举甲骨文第4字的底部就像共鸣器，同时也是底座。这种乐器可能是古琴的原型。湖北随县曾侯乙墓以及长沙马王堆汉墓出土的古琴，琴面的背部有槽，和另一块有槽的底板相合后，才能构成中空的共鸣器，这大概是商代以来的遗制。当时因受工艺水平的限制，还不能做成固定的中间空间较大的共鸣器。商代的这些乐器，论性能，都远远超过能发八个连续半音的陶埙，因此，可以推测，商代后期人们大概已经掌握了十二律的乐律知识。

历史进入西周以后，音乐有很大的发展。中国最早的一部诗歌总集《诗经》，所收作品上起西周初年（前11世纪）或更早的周族活动时期，下至编辑成书的春秋中期（前6世纪），前后经历约五百年。保存到现代的作品有三百零五篇，分为《风》《雅》《颂》三大类：（1）《风》是各地的民歌。（2）《雅》又分为《大雅》和《小雅》，前者为贵族乐歌；后者多半为贵族乐歌，也有一部分民歌。（3）《颂》

① 郭沫若：《甲骨文字研究》下《释龢言》。

分为《周颂》、《鲁颂》和《商颂》。《周颂》出于周王室，《鲁颂》出于鲁国公室，《商颂》出于商族后裔宋国公室，都是统治者祭祀祖先的乐歌。《诗经》产生的地区，主要在黄河中、下游，也有出自江汉流域的。

《诗经》各篇的曲式，经杨荫浏分析归纳，可以分为十种：（1）一个曲调重复；（2）一个曲调的后面用副歌，重复；（3）一个曲调的前面用副歌，重复；（4）一个曲调重复，最后一章“换头”；（5）一个曲调重复，前面有引子；（6）一个曲调重复，后面有尾声；（7）两个曲调各自重复，联成一个歌曲；（8）两个曲调交替运用，联成一个歌曲；（9）两个曲调不规则地重复，联成一个歌曲；（10）一个曲调重复，前有引子，后有尾声。①这样分析，可以说明《诗经》中丰富的曲式。

《诗经》中保存着不少具有唱和形式的作品。这种唱和形式即歌词的领起部分与应和部分互相结合的形式，《诗经》中有不少作品都可以用这种方式加以分析。唱和形式可以分为三类：（1）对唱——两方交替歌唱，或采取问答方式，或采取接续方式。领起部分如在全篇之前，即变为引子。（2）帮

① 《中国古代音乐史稿》第四章。

腔——是紧接每句、每章或全篇歌词而出现的应和部分，一般采用“一唱众和”的方式。全篇以后的帮腔，有的就发展成尾声。（3）重唱——依照别人所唱的全篇歌词重唱，歌词或相同或不同。《诗经》中篇名不同而章句结构全同的诗，有的可能属于同一曲调，如《商颂》的《那》篇和《烈祖》篇。

《诗经》中还保存了古代著名乐舞《大武》和《大濩（huò）》的歌词。《大武》是歌颂周武王伐纣灭商故事的乐舞。舞蹈分为六成（段），各段表现了不同的情节。歌词经学者考证，认为都散见于《周颂》中，虽然对歌词配合的段数问题，见解仍有分歧，但对其中五篇歌词的认识是比较一致的。六段的情节不同，而已考订的五篇歌词的内容和格式也不同，这就可以推断这六段的曲式和舞蹈也不相同。它们所组成的《大武》是一首相当复杂的大曲。

《大濩》是歌颂商汤的乐舞。学者曾指出《商颂·那》篇即《大濩》的歌词。《商颂》是春秋时代宋国公室祭祖的乐歌，其中可能有商族世代相传的祭祖乐歌的一些片断。《那》在《诗经》中不分章，现在我把它分为五章，每章四句，最后剩余两句：“顾予烝尝，汤孙之将。”这两句也许是朗诵的祝语。本诗第五章是“乱”——乐曲的高潮部分。诗中描写的《万舞》应指《大濩》，虽然不如《大武》那样具有故事情节，但也力图表现商汤的功德。《商颂·烈祖》篇也是歌颂商汤的，旧本都把它定为一章，现在我把它分为五章，每章四句，最后也剩余两句："顾予烝尝，汤孙之将。"结构和《那》完全相同。那么，如果《那》是配合《大濩》的歌词，《烈祖》也应当是《大濩》的歌词。

古代比较长的乐曲中，往往有用多种乐器合奏的"乱"段，一般安排在乐曲的末尾。《诗经》中还保留着乱段的痕迹。据记载，《周南·关雎》《大武》《商颂·那》都有乱段。如上所述，《那》有乱，那么，《烈祖》也应有乱。《诗经》不仅反映了当时的文学成就，也反映了当时的音乐成就。

十二律的名称是什么时候开始形成的，现在还难以确定。《国语·周语》记载，周景王的乐师伶州鸠在回答他的询问时曾说到，十二律的名称是黄钟、大吕、太簇、夹钟、姑洗、仲吕、蕤宾、林钟、夷则、无射（yì）、应钟；关于五声，提到宫、角、羽，指出"大不逾宫、细不过羽"，虽然没有提商、徵（zhǐ），也表示出五声的体系已经成立了。这些名称是在长期音乐实践中形成的，当远在周景王（前544—前520年在位）之前。后来也出现了加上"二变"的七声音阶——宫、商、角、变徵、徵、羽、变宫，但在中原音乐中，五声体系一直占有主导地位。十二律是绝对音高，五声是比较音高。

古人最初用竹管定律，先定出一个基本音高，即律管的基本长度，又往往以黄钟为基本律，其长度定为9寸；然后由黄钟开始，递次用 $\frac{2}{3}$（三分损一）或$1\frac{1}{3}$（三分益一）的比例，求得其他十一律的长度，再按音高的顺序排列起来（律管短者发音高），构成了发音和谐的十二律。最初用竹管定律，继而发现管律不精密，于是改用丝弦。

三分损益法的产生，最迟也应在春秋时代。孔子（前551—前479年）说："师挚之始，《关雎》之乱，洋洋乎盈耳哉！"一开始，太师挚唱"升歌"，[①]末尾合奏《关雎》篇的"乱"段，声音洪大，充满了人们的耳朵。像这样的乐队规模，这样的音乐效果，如果当时的乐人还不能分辨五声、十二律，不了解定律的基本方法，那是无法想象的。

记载三分损益法的最早文献是《管子·地圆》篇，只记载了五声音阶律管的长度比例。先定出宫音为81，然后用三分损益法求得徵音为108（$81\times\frac{4}{3}=108$），商音为72（$108\times\frac{2}{3}=72$），羽音为96（$72\times\frac{4}{3}=96$），角音为64（$96\times\frac{2}{3}=64$）。[②]

---

① 参看杨伯峻：《论语译注》页89。

② 王光祈：《中国音乐史》第一章。

案：《地圆》篇所列五声数字，疑系指发出各声的律管容积而言。如黄钟律发出的为宫声，黄钟律管长9寸，围9分，古人认为以围乘长，即得容积之数。

这样，五声长度的比例数字都是整数。按音高排列，其次序为徵羽宫商角。既然能算出五声的比例数字，当然也可以算出其他各律的比例数字，只是那些都有小数。《管子》一书虽然并非春秋时代管仲（？—前645年）所著，而多半是战国时代齐国管子学派的著作，但不能认为书中所保存的资料，如三分损益法的乐律理论，都不早于战国时代；即使是在战国时代才概括成数学公式，写在书上，但这种方法一定已有很长的使用和流传的过程。因此，可以认为它最迟产生于春秋时代。

战国初年，即公元前433年或稍后，有个诸侯小国——曾国的国君曾侯乙，安葬在今湖北随县擂鼓墩地方。1978年，这座古墓中出土大批乐器，其中编钟一套共六十五件，都有铭文。经乐律学家黄翔鹏等测试研究，可以证明：只要按标音位置敲击，就能发出合乎一定音阶的乐音，每钟可发两个音，音色优美，音域广，变化音比较完备，而且形成体系。总音域跨五个八度。在中心音域部分约占三个八度的范围内，十二个半音齐备，而全部音域中的基本骨干音则是五声、六声以及七声的音阶结构，可以旋宫转调。生律法以《管子·地圆》篇所载的方法为主，五音顺序为徵羽宫商角。不仅如此，曾侯钟铭文还记载了曾国和楚、齐、晋、周、申等国各种律名、阶名、变化音名之间的对应关系，以便演奏各地的乐曲。世传周代十二律中已有八个律名在曾侯钟上出现。可见十二律名在春秋时代或以前已经存在，只是名称尚未完全统一。西周钟不用商声，春秋以后的编钟上五音齐全。《地圆》篇所载的生律法，应当是春秋时代或以前，乐律采用了三分损益法来计算音阶骨干音的结果。①

“楚辞”是战国时代南音的结晶，有楚国的地方特色。流传下来的主要作品，是屈原的《离骚》《九歌》《天问》《九章》《招魂》等，有的受了民间文学的深刻影响，有的是根据民间乐歌加工改写而成的。从歌词的情调和结构上，可以看出乐曲形式的一些痕迹。歌词较长，反映了曲调的多次重复和复杂的变化。如《九歌》，首篇是迎神曲，末篇是送神曲，中间有主题歌九篇，也构成了一套大型乐曲。可见楚国的音乐艺术已经达到相当高的水平。

春秋战国时期有不少思想家阐述了对音乐美学问题的见解，其中对后世影响最大的是孔子和荀子。孔子是儒家的代表人物，有音乐实践经验和音乐修养。他整理过《诗经》，使“《雅》《颂》各得其所”，整理的重点在音乐方面。孔子关于音乐的言论虽然是片断的，但已表明了他的基本观点。他

① 黄翔鹏：《先秦音乐文化的光辉创造》，《文物》1979年第7期；《曾侯乙钟磬铭文乐学体系》，《音乐研究》1981年第1期。

认为礼和乐都是维护统治秩序的工具，二者相辅相成。音乐能起感化作用，有重要的社会功能。因此，就乐舞形式的“美”和内容的“善”比较而言，他更强调“善”。孔子说“郑声淫”（淫——过分），又说“恶郑声之乱雅乐”，这是指郑国民间音乐说的，认为它放任而不合礼所要求的中和的准则。但孔子并不反对一切民间音乐，他说“《关雎》乐而不淫，哀而不伤”，曾加以肯定。

对于相传是虞舜的乐舞《韶》，孔子多次赞扬，认为“尽美矣，又尽善也”，已达到最高的境界，所以他在齐国听到《韶》乐，竟然陶醉三月而不知肉是什么滋味。在孔子看来，对待乐和对待礼是一样的，阶级差别是不能超越的。鲁国大夫季氏使用了天子的“八佾”舞（六十四人），孔子就表示：“是可忍，孰不可忍？”季氏能忍心做出这种事来，还有什么别的事情不能忍心去做的呢？孔子把乐看得和礼一样严肃。

荀子（？—前238年）或荀子学派的音乐思想，集中保存在《荀子·乐论》篇中，但文义多有重复，可见非出于一人之手。也可能是荀子在不同时间所讲述，经各弟子记录，最后辑入此篇，其中可能已有弟子引申发挥的地方。《乐论》采用了和墨子辩论的形式。它继承了孔子的若干论点，经过发展改造而形成法家的音乐理论。荀子认为人们需要音乐，这是“人情所不免”的，但为了防止音乐陷入邪乱，必须“制《雅》《颂》之声以道（导）之”，“感动人之善心，使邪污之气无由得接焉”。他反对的“淫声”、“夷俗邪音”和“郑卫之音”，实即泛指民间音乐。他要求音乐“可以善民心，其感人深”，“移风易俗，天下皆宁”。把音乐的社会功能提高到政治功能。他又说：“乐中平则民和而不流，乐肃庄则民齐而不乱。民和齐则兵劲城固，敌国不敢婴（婴——侵）。”还说：“故乐者，出所以征诛也，入所以揖让也。征诛揖让，其义一也。”比孔子又进了一步，荀子把礼、乐都作为专政的工具，显示出法家的精神。

二　两汉时期的音乐

秦朝设置太乐令、太乐丞及乐府令、乐府丞。[①]西安秦始皇陵曾出土铜钟1件，上铸“乐府”二字，可以证实当时确有此官署。汉承秦制，朝廷也设立“太乐”和“乐府”两个音乐机构。前者掌管雅乐；后者掌管世俗音乐，古书上贬称为“郑

① 《通典》卷二五。

声”。《汉书·礼乐志》说：汉武帝定郊祀之礼，祭后土（土神）于汾阴。“乃立乐府，采诗夜诵，有赵、代、秦、楚之讴。以李延年为协律都尉。多举司马相如等数十人，造为诗赋，略论律吕，以合八音之调，作十九章之歌。”案元鼎四年（前113年），汉武帝在汾阴立后土祠。立乐府大概是在这一年或稍后。乐府本来是已经存在的机构，这里所说的“立”应当是扩大的意思。乐府所搜集和整理的乐歌和资料，主要是民间音乐。记载中所说的“赵、代、秦、楚之讴”，赵、代在北方，秦在西方，楚在南方。这里只是举这四个地区作为代表，实际上它所搜集的地方乐歌远远超出了这些地区。《礼乐志》还说：汉武帝时，“常御（用）及郊庙皆非雅乐”，“内有掖庭材人（宫内乐人），外有上林乐府（乐府在上林苑中），皆以郑声施于朝廷”。当时，俗乐不仅流行于社会上，而且盛行于朝廷和官府中。

汉哀帝即位（前6年）后，曾下诏罢乐府。当时乐府中的人员“大凡八百二十九人”，分工很细。汉哀帝虽然把这些人员裁减了大半，留者改属太乐署，撤销了乐府；“然百姓渍渐日久，又不制雅乐有以相变，豪富吏民，湛沔自若。”[1]这种俗

① 《汉书·艺文志》。

乐已经广泛地传播起来。

东汉虽然没有乐府这个官署的名称，但“黄门鼓吹署”的职责却是和西汉乐府相同的。[①]东汉继续搜集整理民间的音乐。

汉代的统治阶级为了政治目的和享乐而设立乐府，但乐府对于搜集整理和传播民间音乐也起了一定的作用。《汉书·艺文志》著录的歌诗三百一十四篇，大概就是西汉乐府所用乐歌的一部分。乐府的乐歌大致可以分为两大类，即鼓吹曲与相和歌。

（1）鼓吹曲　用于郊庙祭祀、军队、仪仗、典礼中，是一种进行曲或节奏明朗的乐曲。这种乐曲吸收了我国北部和西部少数民族的乐曲因素，但采用更多的还是中原各地的这种性质的民间歌曲。乐府中有“鼓员”“吹鼓员”——如“骑吹鼓员”“江南鼓员”“沛吹鼓员”等，就是专门演奏鼓吹曲的。《艺文志》著录的歌诗中，如《高祖歌诗》《汉兴以来兵所诛灭歌诗》《出行巡狩及游歌诗》等，都属于这一类。这类歌诗没有标明地区，可能也有地方特色。如《高祖歌诗》当指汉高祖刘邦所做的《大风歌》。《史记·高祖本纪》记载：

---

① 参看王运熙：《乐府论丛》第一篇。

> 高祖还归，过沛，留。置酒沛宫，悉召故人父老子弟纵酒。发沛中儿得百二十人，教之歌。酒酣，高祖击筑，自为歌曰："大风起兮云飞扬，威加海内兮归故乡，安得猛士兮守四方！"令儿皆和习之。

沛是旧楚地，这部鼓吹乐应当属于楚声。汉高祖也爱好他的乡土音乐楚声。乐府中的"沛吹鼓员"必然演唱《大风歌》，另外，还会演唱沛县一带的其他地方乐歌。

（2）相和歌　源出于各地流行的民歌。《宋书·乐志》说："相和，汉旧歌也，丝竹更相和，执节（打拍子）者歌。"又说："凡乐章古辞，今之存者，并汉世街陌谣讴。"相和歌的主要来源是街陌谣讴，而街陌谣讴往往采用互相唱和的形式，这大概就是相和歌得名的由来。《艺文志》著录的歌诗中，如《吴、楚、汝南歌诗》《燕、代讴，雁门、云中、陇西歌诗》《邯郸、河间歌诗》《齐、郑歌诗》《左冯翊秦歌诗》《京兆尹秦歌诗》等，都属于这一类，乐府采诗的范围已遍及黄河、长江流域。这时已有用曲线表示的乐谱。目录中有《河南周歌诗》七篇，又有《河南周歌〔诗〕声曲折》七篇；有《周谣歌诗》七十五篇，又有《周谣歌诗声曲折》七十五篇。声曲折显然是和歌诗配合的乐谱。

现在所能看到的汉代乐府歌词，大部分是东汉作品。《宋书·乐志》列举的“汉世街陌谣讴”有《江南可采莲》《乌生》《十五》《白头吟》等。“梁鼓角横吹曲”中有古诗《十五从军征》一首，标题《〈紫骝马〉歌辞》。研究者认为这首诗就是《十五》的歌词，是东汉末年的作品：

十五从军征，八十始得归。道逢乡里人，“家中有阿谁”？“遥望是君家，松柏冢累累。”兔从狗窦入，雉从梁上飞。中庭生旅（野生）谷，井上生旅葵。舂谷持作饭，采葵持作羹。羹饭一时熟，不知贻阿谁！出门东向望，泪下沾我衣。

《紫骝马》本是鼓吹曲，诗作者却用它唱出了反对战争的悲歌。东汉另一首民歌《江南可采莲》是相和歌一类的作品：

〔唱〕江南可采莲，莲叶何田田，鱼戏莲叶间。

〔和〕鱼戏莲叶东，鱼戏莲叶西，鱼戏莲叶南，鱼戏莲叶北。

研究者多认为这首歌诗是一唱众和的形式，可以反映出乐曲活泼自然的民歌特色。

战国末年的荀子或他的弟子作过《成相》篇，杨荫浏认为这是个受了民间影响的说唱本子。到了汉代，没有留下关于说唱文学的记载，只有相和大曲《东门行》和这种体裁相似。[1]但四川成都出土的东汉说唱俑，左臂挟鼓，右手执桴，兴高采烈，正是表演说唱曲艺的生动形象；四川彭山出土的东汉说唱俑，仪态从容，表情幽默，举右臂作比画状。可见汉代确有这种曲艺，而且还很流行，只是这种作品没有流传下来。

西汉时，关于音乐的论辩，在春秋以来各家音乐思想的基础上，又有很大的进展。于是有人把他们的有关言论汇集成具有综合性的音乐理论著作《乐记》。《乐记》非一人一时所作，但主旨以儒家和荀子学派的学说为纲。它也把乐和礼相提并论，把乐作为重要的教育和施政的工具。它反对民间音乐“郑卫之音”和“桑间、濮上之音”。它认为：“声音之道，与政通矣”；“礼乐刑政，其极一也，所以同民心而出治道也。”更强调法家的主张。《乐记》对音乐产生的过程以及音乐形成之后又反过来对人们心情的影响，做了细致的分析。它说：“凡音之起，由人心生也。人心之动，物使之然也。”这种认识超过了孔子和荀子，既深刻而又明朗。

① 参看杨荫浏：《中国古代音乐史稿》第四章。

先秦时期，中外文化已有交流，至汉武帝时，横贯亚洲腹地的丝绸之路以及纵贯沿海地区的海上丝绸之路都已畅通，从此，中外文化交流更为活跃，其中包括音乐文化。

秦代末年，赵佗割据南海、桂林、象郡，自称南越王。南越辖境包括今越南的北部，所以迟至这时中国音乐已传入越南。汉武帝元鼎六年（前111年）平定南越后，朝廷举行祀典时曾使用一种新乐器“空侯瑟”，形状像中国的瑟，名称是“空侯”。空侯也写作“坎侯”，是外来语，可能是经由南越传入长安的弹拨乐器“坎农”（kanon）有关古语的音译。后来称为“卧箜篌”。新疆至今还常用的“卡龙”，就是卧箜篌一类的乐器。

战国时代，中原地区的“箫”（排箫）也称为“籁”。而国内外有些民族语的管乐器名称，和籁的读音相近，例如维吾尔语称笛子为“奈伊”，中亚各族语称管乐器为“奈伊”，不知是否和汉语“籁”有关。有人认为“奈伊”出于波斯语nay，原是竹子的意思。但匈牙利语和罗马尼亚语即称排箫为“奈伊”，可能是“籁”的音译，因古代匈牙利人中很多是从中国迁去的（见下文）。在古汉语中，有些方言往往有辅音 l 和 n 不分的情况，因此“籁”可能读成“奈”。

西汉初年，原来居住在河西地区（今甘肃黄河以西）的月氏族和乌孙族，因受匈奴族逼迫，先后西迁，他们会把自己的音乐文化带到中亚或南亚。汉武帝时，张骞通西域后[①]，安息（今伊朗）派使臣及“犁轩善眩人”来中国。犁轩指罗马帝国；眩人，也写作“幻人”，即杂技魔术艺人。犁轩幻人未必是欧洲人，或许是指罗马的东方属地“条支”一带的人。史书记载，条支“国善眩”。条支即今叙利亚。不知幻人来时是否有音乐伴奏人员。有的史书记载，张骞出使时曾得《摩诃兜勒》一曲。此说不可信（见下文）。

西汉后期，佛教经中亚传入今新疆，至东汉初年即传入我国内地。此后，有不少的僧侣自印度及中亚各地陆续东来译经传教，不知当时是否带来佛教音乐。

由西域或通过西域传入中原的乐器，东汉时有琵琶，这类乐器源出于西亚一带，古波斯语称“巴波特”（barbot），[②]后传入新疆。语言学家岑麒祥说，古库车语中用梵语“比般喀”（vipanki）称琵琶，“喀”是词尾，是微小的意思。案汉语琵琶应是库车语的音译。现代维吾尔语称琵琶为“巴比特”（barbit），又是波斯语的音变。东汉灵帝（168—188年在位）爱好“胡空侯、胡笛、胡舞”。经学者考证，胡笛大概

---

① 西域，有时指今新疆一带，有时指今新疆和中亚一带。

② 波斯人是伊朗的主体民族。伊朗人操波斯语。

是一种竖笛；胡空侯不同于前面所说的空侯瑟，当是指竖箜篌（harp）而言。

东汉初年，我国北方民族匈奴族分为南、北两部。其后，北匈奴的一部分经中亚向西迁徙，于4世纪出现在欧洲东部，即欧洲历史上所说的“洪斯”（Huns）。其中一部分就在今匈牙利定居下来。洪斯把中国的音乐文化带到了他们经过和定居的地区。至今匈牙利民歌歌词的结构和中国甘肃省“裕固”族民歌很近似，曲调也有很多极为相似。在古代，裕固族的祖先“丁零”和匈奴有密切关系。[①]匈牙利语称排箫为奈伊（nay），这个名称如果和汉语有关，大概就是洪斯西迁时传过去的。

中国音乐很早就传入朝鲜。古乐府相和歌中有《箜篌引》，即朝鲜女子丽玉所作，大概是东汉时期的作品。中国乐器，不知何时开始传入日本。日本山阴、北陆等地曾发现古铜铎，日本考古学家认为是模仿中国古钟而制造的，在日本流行的时期大概是公元前后几百年间。这些古铜铎和中国的编钟极相似，但铎身的图案花纹则具有日本的民族风格。

① 杜亚雄：《裕固族西部民歌与有关民歌之比较研究》，《中国音乐》1982年第4期。

三　魏晋南北朝时期的音乐

这是一个动荡的时期。由于民族的迁徙杂居，文化的频繁交流，中国音乐正酝酿着巨大的发展变化，但这个时期由于没有强大的统一政权对民间音乐进行搜集整理工作，所以流传下来的资料很少。

汉代的鼓吹曲和相和歌，有很多流传到魏晋以后。相和歌所用的乐律，主要是“平调、清调、瑟调”，“汉世谓之三调”。[①]到魏晋时期，在相和歌的基础上，又有新音乐发展起来，称为“清商三调”或“清商乐”。“三调”表示继承了相和歌的乐律，“瑟调以角为主，清调以商为主，平调以宫为主”[②]。举清商以代表三调，所以称为清商三调。

魏晋两代，朝廷都设置了掌管音乐的机构“清商署”。清商署虽因清商三调而得名，但所演奏的音乐不会只限于清商三

---

① 《旧唐书·音乐志》。

② 《魏书·音乐志》引陈仲儒语。杨荫浏考证，“平调相当于fa调式，清调相当于sol调式，瑟调相当于la调式。”（见《中国古代音乐史稿》第五章）瑟调也称侧调。

调，也必然继承了其他传统乐曲，吸收了当时流行的民歌，这些民歌大部分出于北方各地区。

西晋末年，北方少数民族鲜卑、匈奴、羯、氐、羌等族，已陆续进入黄河流域，各政治集团割据一方，建立政权。西晋灭亡后，东晋即被迫迁都建康（今南京），偏安江南，北方人大批南迁，把北方音乐也传到江南，对当地音乐一定会有影响。南朝各代不断地涌现新声，而记载下来的主要是“江南吴歌”和“荆楚西曲”。吴歌产生的中心是建康（今南京），即今江苏一带的民歌。西曲歌出于荆（今湖北江陵）、郢（今武昌一带）、樊（今湖北襄樊一带）、邓（今河南邓县）之间。从歌词中出现的地名考虑，西曲分布在今湖北、江西、四川东部和河南一带。吴歌和西曲产生的地域大致相当于汉代相和歌中《吴楚、汝南歌诗》产生的地域。再往上推，都和楚辞、楚声有些渊源关系。

南朝的清商乐也流传到北方。北魏统一北方后，把相和歌、清商三调以及吴歌、西曲等，统称为清商乐。北魏及其以后的北齐的音乐机构，除搜集整理一些民间乐歌之外，也都保存了一部分清商乐。

魏晋南北朝时期，除了西晋王朝取得短暂的统一局面外，中国处于分裂状态中，到处是动乱的现象，政治黑暗，烽火连天，人民饱经忧患。当时的歌词对这种社会现实，都有所反映。南朝的吴歌、西曲等，反映了长江、汉水沿岸的商业城市——如建康、江陵、襄阳等处的城市居民、商人和歌妓生活的一个侧面，不能代表南朝的全部民歌。北朝的《鼓角横吹曲》和其他民歌，是北方的汉族和少数民族的作品，也反映了多方面的社会生活。

魏晋南北朝的歌词，主要出于民间，也有一部分是文人的创作或由文人加工的作品。歌词的多样化形式，可以反映乐曲形式的发展水平。规模较大的“相和大曲”，它的曲式的形成和规格化，大概是在魏晋时期。今抄录瑟调大曲《艳歌何尝行》（《古白鹄》）一首，并标出段落：

〔艳歌〕　飞来双白鹄，乃从西北来。十十五五，罗列成行。（一解）妻卒被病，行不能相随。五里一返顾，六里一徘徊。（二解）吾欲衔汝去，口噤不能开；吾欲负汝去，毛羽何摧颓。（三解）“乐哉新相知，忧来生别离。”躇踌顾群侣，泪下不自知。（四解）

〔趋曲〕　“念与君别离，气结不能言。各各重自爱，道远归还难。”“妾当守空房，闭门下重关。若生当相见，亡者会黄泉。”

〔和〕　　“今日乐相乐，延年万岁期。”

本篇原有注文：“‘念与’下为‘趋曲’，前有‘艳’。”对于趋曲的段落，说得明确。“艳歌”指什么？就注明艳趋的一些大曲加以比较，可以推想这里的艳歌即指“念与”前的歌词四章，而不是在这四章之前另有艳歌。《古今乐录》引王僧虔《技录》说：“《艳歌何尝行》，歌文帝（曹丕）《何尝》《古白鹄》二篇。”《何尝》和《古白鹄》未必为曹丕所作，但可证《艳歌何尝行》是由这两篇合成的。《古白鹄》是本篇的艳歌，《何尝》是本篇的趋曲。最后两句是和声帮腔祝词。余冠英指出：“古乐府重声不重辞，乐工取诗合乐，往往随意拼合裁剪，不问文义。”[1]他们拼合时，也不是完全不考虑文义，但总不免捕风捉影。艳歌的“艳”当出于楚语。所谓“荆艳楚舞”，艳就是歌曲的意思，[2]不是艳丽的意思。相和大曲，一般分为两大段：第一大段是艳歌，以歌为主，又分为若干解，解是两个乐章之间的“过门”曲，[3]即前一曲的尾声。第二大段是趋曲，不分解，配舞，

① 见《汉魏南北朝论丛·乐府歌辞的拼凑和分割》。
② 见《昭明文选》左思《吴都赋》及注文。
③ 参看杨荫浏：《中国古代音乐史稿》第五章。

节奏较快。有时末尾还加两句和声，是乐舞活动中的习惯用语。

这时清商乐又取得了进展。以“变歌”为例，它的创作方法，在以前可能已经采用过，但到这时才有比较明确的标志。如有《子夜歌》，又有《子夜变歌》；有《欢闻歌》，又有《欢闻变歌》。歌词都是五绝，在词式上没有不同，那么，所谓“变”就表现在曲式的差别上。大概变体是就某一曲调加以调整改编而成的，改变不会太大。但这种方法又开辟了使乐曲发展演变的一条新途径。变字的这种含义和用法，到唐代即为“变文”所继承。又乐曲中唱和部分的发展比以前也更为复杂，有些和声部分逐渐融入曲调本身，从而推动着曲调有所变化。这又是乐曲演变的途径之一。

吴歌《上声歌》说：“初歌《子夜曲》，改调促鸣筝。四座暂寂静，听我歌《上声》。”南朝所传古诗中也说：“四座且莫喧，听我歌一言。请说铜炉器，崔巍像南山。”可见当时盛行在大庭广众中唱长篇歌诗的风气，这是汉代说唱体裁的继续，因此，汉末出现了《孔雀东南飞》，南北朝时期北朝又出现了《木兰诗》。《木兰诗》属横吹曲，但不知采用的是什么曲调。案此诗也有拼合的语句，开头说：“唧唧复唧唧，木兰当户织。不闻机杼声，唯闻女叹息。问女何所思，问女何所忆。”这几句也见于《折杨柳歌》，只是开头两句作“敕敕何力力，女子当窗织。”所以我推测《木兰诗》可能用的是《折杨柳》曲，经多次重复而成为长篇歌诗。

相和大曲在中原流行之后，可能传入西域，对西域大曲有所影响。[①]到了唐代，中原乐人继承了相和大曲，又借鉴西域大曲，创作了唐宋时期盛行的大曲形式。

自西晋末年以后，中原长期动乱，而河西地区至今新疆一带却比较安定，内地人不断地迁往该地，也有不少的中亚各族人迁入新疆以至河西及中原地区。丝绸之路上，使臣、商旅、僧徒以及乐舞艺人等，仍然来来往往，经济和文化交流一直在进行着。此外，较大规模的民族迁徙活动，还有原在今新疆阿尔泰山以南地区的哌哒人和突厥人的一部分先后西迁，带去了自己的音乐文化。

西迁的一部分月氏族，在历史上称为大月氏。大月氏经中亚到达大夏（今阿富汗和巴基斯坦北部）后，建立了大月氏国，这是大月氏的政治中心。此外，还有分布在中亚两河（阿姆河、锡尔河）流域的以康国为主的九个政权——如米国、史国、曹国、何国、安国、穆国等，也是大月氏族建立

① 参看中央民族学院艺术系编：《论新疆音乐》（油印本）。

的。[1]到南北朝以后，中国史书上称它们为“昭武九姓”。昭武城在今甘肃省高台县境，当年昭武九姓诸国君主的祖先都是由这个地区迁去的。从4世纪起，这些国家的乐舞艺人来中原献艺传艺的很多，他们带来的也会有原来月氏族传统的或具有月氏族传统因素的乐舞艺术，而且艺人中也会有月氏族的后裔，因此，他们的艺术很自然地受到中原人民的欣赏和欢迎。

中原和西域乐舞文化的交流活动中，佛教寺院也是一条渠道。《魏书·释老志》说：“今之僧寺，无处不有”，“梵唱屠音，连檐接响”。所谓“梵唱”即“梵呗”，“屠音”即“浮屠”（佛教）之音，都指佛教音乐而言。佛教音乐并非都来自印度，由于传入路线不同而有差异。佛教音乐传入后，即逐渐走上中国化的道路。

今新疆拜城克孜尔石窟壁画中，还保留着两晋及南北朝时期中外乐舞交流融合的生动形象的资料。乐队所用的乐器，有当地的乐器，如源出于龟兹（Qiūcí，今新疆库车）的筚篥；有外来乐器，如琵琶；有中原乐器，如箫（排箫）、笙、阮咸等。甘肃敦煌莫高窟和山西大同云冈石窟等处的佛教壁画中，

① 参看王治来：《中亚史》第六章。

也都保存着南北朝以来的乐舞图，这种乐舞图和克孜尔壁画有渊源关系，但中原色彩更为显著，可以反映中国乐人正在进行的配器实验。当然这都是美术作品，并非处处符合实际情况。

三国时代，吴大帝赤乌六年（243年），“扶南王范旃遣使献乐及方物”[①]。当时的扶南国包括今柬埔寨及越南南部。中国人民和朝鲜、日本人民的交往一直没有中断。南朝的宋朝（440—479年）初年，百济国的“鼓角箜篌之乐”传入中国。百济在今朝鲜南部。中国南朝的陈文帝天嘉三年（562年），中国僧人智聪携带“儒释（佛教）方书、明堂图百六丨卷，佛像、乐器”，到了日本。[②]他传去的音乐当以佛教音乐为主。

南北朝末期，北朝的两个政权：一为鲜卑人建立的北周，建都长安（图一）；一为鲜卑化汉人建立的北齐，建都邺城（今河北省临漳）。北齐宫廷中的乐人或其先世就有来自昭武九姓诸国的乐人。北周武帝天和三年（568年），北周和西突厥联姻，西域各地如龟兹、康国（今中亚撒马尔罕）等都派艺人组成乐队，随着皇后到了长安。乐队中有个龟兹人，名苏祇婆，擅长琵琶，他把西域乐律传授给长安音乐家郑译。

---

① 《三国志·吴书·吴主传》。

② 〔日〕源光圀：《大日本史·推古天皇本纪》引《姓氏录》。

图一　敦煌莫高窟297窟供养伎乐（北周）①

上文提到的《摩诃兜勒》一曲，经仲铎考证，认为是出于陈朝僧人智匠的妄说，并非张骞由西域带回的。②但南北朝时当有此乐曲，是由西域传来的。

四　隋唐时期的音乐

经过长期的社会动荡，在民族融合运动达到一个新阶段，南北文化有了更多的交流，各族人民都有了政治统一的要求下，隋文帝杨坚建立了隋朝，统一南北，继承了北朝和南朝的

① 转引自吴曼英、李才秀、刘恩伯《敦煌舞姿》页88。图中人物的衣着，据沈从文考证，具有突厥服饰特点。

② 仲铎：《张骞得胡曲李延年造新声事辨伪》，上海《学艺杂志》1934年第15期。

文化——包括音乐文化。

隋朝设立的音乐机构，有“太乐署”（雅乐）、“清商署”（俗乐）和“鼓吹署”（礼仪音乐）。开皇二年（582年），隋文帝下令整理音乐，引起了一场关于乐律的争论。这时由于国内民族之间以及中外音乐文化的交流，乐律的差别问题引起音乐家的注意。郑译上书阐述龟兹乐律，把中原乐律和西域乐律结合起来。这种龟兹乐律大概是西域广泛流行的属于西域乐系的一种古老乐律。因用琵琶定律比较方便，所以传入中原之后，就被一些音乐家采用。它对隋唐燕乐（宴乐）的乐律有一定的影响。

隋代初年，宫廷燕乐置七部乐：（1）国伎，即西凉伎，出于凉州（今甘肃武威）一带；（2）清商伎，指中原和江南地区的传统音乐和民间音乐；（3）高丽伎；（4）天竺伎（天竺指印度）；（5）安国伎（安国即今中亚布哈拉）；（6）龟兹伎；（7）文康伎，传说原是纪念晋朝太尉庾亮（谥文康）的乐舞。此外，又杂有疏勒（今新疆喀什噶尔）、扶南、康国、百济、突厥、新罗（在今朝鲜）、倭国（在今日本）等伎。隋炀帝时又加以调整，定为九部：清乐（即清商伎）、西凉、龟兹、天竺、康国、疏勒、安国、高丽、礼毕（即文康伎）。这些项目可以反映出当时朝廷已经广泛地搜集到国内外的多种乐舞。但这些只是朝廷举行宴会时乐舞表演的节目次序单，目的在炫耀皇帝的“威德”，不能反映当时社会上新音乐的内容。

唐朝前期一百多年间，社会安定，经济有很大的发展。当时人民继承发扬南朝和北朝的文化传统，而且各民族、各地区文化交流的范围更为扩大，对国外的文化交流也更为广泛，因此，民间的音乐活动已成为社会风气，新的音乐不断地、大量地涌现出来，并得到普遍传播。

唐朝初年，宫廷燕乐沿用隋九部乐，但增“燕乐”（宴乐），删“礼毕”。至唐太宗时调整为十部：（1）燕乐；（2）清商乐；（3）西凉乐；（4）天竺乐；（5）高丽乐；（6）龟兹乐；（7）安国乐；（8）疏勒乐；（9）康国乐；（10）高昌乐，高昌即今新疆吐鲁番。这十部乐中，第一部是狭义的燕乐，包括《景云乐》、《庆善乐》、《破阵乐》（秦王破阵乐）和《承天乐》四个项目，都是为统治阶级歌功颂德的。第二部清商乐是中原音乐。其他八部各有民族特点、地区特点或外来乐舞特点。

至唐高宗时，十部乐即向“坐部伎”和“立部伎”转化。坐部伎在堂上坐着演奏，立部伎在堂下站着演奏。这两部伎的项目，至唐玄宗时就确定下来：坐部伎有《燕乐》、《长寿乐》、《天授乐》、《鸟歌万岁乐》、《龙池乐》和《小破阵乐》；立部伎有《安乐》、《太平乐》、《破阵乐》、《庆善乐》、《大定乐》、《上元乐》、《圣寿乐》和《光圣乐》。都变成了以传统或民间乐舞为基础、吸收十部乐及其他乐舞因素，或者就外来乐舞加以改编所创造的综合性的大型乐舞。十部乐向坐、立部伎的转化，标志着唐代宫廷乐舞在艺术上的一次突破，当然也可能从此趋向僵化了。

唐朝的音乐机构，原来有太乐署、鼓吹署和教坊，都由太常寺管辖。教坊在宫廷中，规模很小，至玄宗开元二年（714年）大加扩充，除宫廷中设内教坊以外，在西京长安（今西安）和东京洛阳，各设外教坊两所，都不属于太常寺，而另由宫廷派内官（宦官）为“教坊使”，进行管理。宫廷中还有“梨园”等，也是培养乐工的处所。《新唐书·礼乐志》说：“玄宗既知音律，又酷爱法曲，选坐部伎子弟三百，教于梨园，声有误者，帝必觉而正之，号‘皇帝梨园弟子’。”又说：“宫女数百，亦为梨园弟子，居宜春北院。”这些音乐机构，主要传习俗乐，是搜集民间乐舞、培养乐工的地方，也是提高乐舞艺术、传播乐舞的地方。此外，贵族豪门以及各州郡也都有乐人伶工。在唐玄宗提倡之下，乐舞盛行，风靡一时。

唐代音乐至唐玄宗时达到鼎盛时期。宋沈括《梦溪笔谈》说：天宝十三载（754年），“以先王之乐为雅乐，前世新声为清乐，合胡部者为宴乐（燕乐）”（卷五）。所谓雅乐用于朝廷礼仪，伪托为古代圣王遗留下来的。胡部主要指西域音乐。就唐代音乐的发展趋势和整体说，它是继承了传统的清商乐，以中原民间音乐为基础，并吸收国内各民族的音乐成果以及外来音乐因素而形成的新音乐。但并不是任何具体乐曲都具备这种综合性质。实际上，广大地区的民间音乐，都依照各自的传统和规律在发展着，并未受到外来影响。

天宝十五载（756年），安史之乱爆发。“渔阳鞞鼓动地来，惊破《霓裳羽衣曲》。”[①]“梨园弟子散如烟。”[②]唐玄宗仓皇出走，教坊乐人多流散各地，教坊乐舞却因此更广传于民间。至德二年（757年），唐肃宗收复两京，教坊未能恢复开元之盛。唐代宗大历十四年（779年），下诏罢除梨园伶使及冗员三百余人，留者隶属于太常寺。至唐宪宗元和十四年（819年），复置内教坊于延政里。[③]唐宣宗初年，太常乐工仍有五千余人，俗乐一千五百余人。所以终唐之世，一直保持着开元乐舞的流风余韵。

---

① 白居易：《长恨歌》。

② 杜甫：《观公孙大娘弟子舞〈剑器〉行》。

③ 《旧唐书·宪宗本纪》。《唐会要》卷三四作“徙内教坊于延政里”。

当时民间的集体音乐活动往往和民间节日及寺院的宗教活动结合起来。唐代佛教已发展到鼎盛时期，寺院林立，有些大寺院是宗教活动、娱乐活动以及其他文化活动的处所，也是商业活动的处所。甘肃敦煌莫高窟保存的大量乐舞壁画和文书，为研究唐代音乐提供了丰富的珍贵资料。壁画的时代，上起北魏，下至元代，而以唐代的居多。其中一百四十多幅经变画有伎乐，一般是一组，少数为两组，也有三组的。每组有一个或两个跳舞的舞伎。伴奏的乐伎，少的两人，多的达34人。壁画中还有世俗乐舞三十三幅（图二）①。经变画并非写实作品，但反映了社会现实的影子。根据这些壁画可以大致辨清文献记载的乐器形状和演奏方式。壁画所根据的大概也有寺院艺僧演奏的状况。

图二　敦煌莫高窟360窟宴饮乐舞图（晚唐）

① 转引自《敦煌舞姿》页129。

唐高宗时，“敕九部乐及京城诸寺幡盖众伎，送玄奘及所翻经像、诸高僧入住慈恩寺。”①这里所说的“众伎”可能包括各寺的艺僧。艺僧中有不少高手。如唐德宗时的段善本（段和尚）就是最突出的一个。古代相传，长安东西两市祈雨，比赛音乐，都用琵琶弹《六幺》大曲，西市的段善本赛过东市以擅长琵琶著名的康昆仑，②传为艺坛佳话。诗人元稹的《琵琶歌》赞扬段善本的弟子李管儿说：“段师弟子数十人，李家管儿称第一。”“管儿还为弹《六幺》，《六幺》依旧声迢迢。猿鸣雪岫来三峡，鹤唳晴空闻九霄。”管儿弹出的这样悠扬清爽的《六幺》曲，可以使人想象段善本的艺术修养和风格。

长安的大寺院里平时也设“戏场”。唐宣宗大中年间（847—859年），“戏场多集于慈恩（寺），小者在青龙（寺），其次在荐福（寺）、永寿（寺）。”③戏场里都有些什么活动呢？除乐舞之外，大概还有“俗讲”、歌舞小戏、杂技幻术之类。敦煌发现的文献资料中有乐谱、舞谱、曲子词、变文等，都是寺院保存使用的，也有些作品出于僧人之

---

① 《旧唐书·玄奘传》。

② 段安节：《乐府杂录·琵琶》条。

③ 宋钱易《南部新书》戊集。

手，可以反映当时寺院音乐活动的内容。

为什么敦煌石窟中保存下来这么多音乐史料，而曲子词中宣扬佛法的并不太多，大部分是以爱情为主题？这大概就是由于当时寺院的音乐活动已经和社会上的音乐活动结合起来。我们看西安地区历史悠久的“鼓乐”社团，其成员有农民、市民、和尚、道士，互教互学，而有些乐社即以佛寺、道观为主，但所传习的仍然是鼓乐，并非佛曲、道曲（当然也可能包括佛曲、道曲），这种情况可以触发我们对当年敦煌寺院音乐活动的想象。

唐代的乐曲，就曲式结构说，可以分为两大类：（1）杂曲子，是独立小曲，一般都比较短。（2）大曲，是包括许多乐章的具有固定结构的大型套曲。其中有些小曲是可以独立的或原是独立小曲而被编入大曲的。大曲都和舞蹈结合，结构相当复杂。唐代乐曲很多，唐崔令钦《教坊记》、段安节《乐府杂录》、南卓《羯鼓录》和宋王溥《唐会要》等书中，比较集中地记录下来一部分。《教坊记》所录杂曲子及大曲，多半是开元、天宝年间流行的乐曲，或出于传统音乐，如《乌夜啼》《广陵散》本为清商曲；或来自各地民间，如《凉州》来自今甘肃武威，《伊州》来自今新疆哈密，《赞普子》出于藏族地区；或出于宫廷音乐家的创作，如《秦王破阵乐》；也有外来乐曲而经改编者。搜集的范围很广。[①]

唐代的歌词有歌诗，有曲词。歌诗指齐言诗，大部分是五言或七言绝句体。这种形式是民歌的基本形式，在配合乐曲时有广泛的适应性；何况律诗讲究语音的升降调协，本身已具有音乐的谐和特点，只要演唱时依照乐曲的旋律，在节奏上加以适当的处理，就能和曲调配合。曲词即曲子词，是严格依照乐曲的节拍所填写的长短句体的歌词，即文学史上所说的“词”。其中除极少数始终保持齐言体的唱词以外，不包括歌诗。填过长短句的乐曲，即称为“词调”，是唐代乐曲的一部分。早期的词调中有许多是教坊曲。教坊曲是当时最流行的乐曲。

从敦煌壁画中的世俗乐舞图，可以想象当时民间的宴饮歌舞活动。唐薛用弱《集异记》记载过这样一个故事：“开元中，诗人王昌龄、高適、王之涣诣旗亭（酒楼）饮。梨园伶官亦招妓聚燕（宴）。三人私约曰：‘我辈擅诗名，未定甲乙（名次），试观诸伶讴诗分优劣。’”他们果然听到，伶人先唱高適的《哭单父梁少府》诗，后唱王之涣《凉州词》。这个故事反映了唱诗的风气。很多词调在填入长短句之前，都用

① 参看任半塘：《教坊记笺订》。

歌诗配合过。如《阳关曲》原来的乐曲名称失考，这个词调是由于最初和王维《送元二使安西》诗配合而得名的：“渭城朝雨浥清尘，客舍青青柳色新。劝君更尽一杯酒，西出阳关无故人。”不知当时如何咏唱。白居易《对酒》诗说：“相逢切莫推辞醉，听唱《阳关》第四声。”自注：“第四声‘劝君更尽一杯酒，西出阳关无故人。’”可见咏唱时曾对文字进行调整。以后流传的《阳关三叠》又有不同的唱法。

长短句曲词最早出于民间，已为敦煌曲子词所证明。经学者考证，敦煌曲子词中有些可能是盛唐的作品，但在写作技巧方面已经达到相当熟练的程度。因此推断这种长短句体裁的产生当在盛唐之前，大约在唐高宗时（7世纪中叶）。至盛唐时期，文人开始填写曲子词，但保留下来的不多。中唐时期，白居易、元稹等填了不少的词。他们和民间的音乐活动接触较多，不可能不受到民间曲词的影响。

词调大部分出于民间乐曲。如《长相思》原名《湘妃怨》，是民间祭祀娥皇、女英时所用的乐曲。古代有个神话，说虞舜巡游云南，使二妃——娥皇、女英留居潇水、湘水一带。舜死了以后，“二妃泪下，染竹成斑。〔二妃〕死为湘水神，故曰湘妃。”白居易依照《湘妃怨》的节拍填词，此曲因而成为词调，改名《长相思》。白词第二首说：

深画眉，浅画眉，蝉鬓鬅鬙云满衣，阳台行雨回。巫山高，巫山低，暮雨潇潇郎不归，空床独守时。

用《湘妃怨》曲调写巫山神女的传说。白居易《听弹〈湘妃怨〉》诗说："分明曲里愁云南，似道'潇潇郎不归'。"自注："江南新词有云：'暮雨潇潇郎不归。'"由此可以推断，《长相思》的前身即《湘妃怨》，《湘妃怨》是祭祀湘水女神的琴曲。白居易又有《忆江南》词三首，第二首说：

江南忆，最忆是杭州。山寺月明寻桂子，郡亭枕上看潮头，何日更重游。

自注："此曲名《谢秋娘》，每首五句。"刘禹锡作词，题为《和乐天（白居易）春词，依〈忆江南〉曲拍为句》。

第一首说：

春去也，多谢洛城人。弱柳从风疑举袂，丛兰浥露似沾巾。独坐亦含颦。

"洛城人"指白居易。白居易自称所填《长相思》词为“江南新词”，正是为了表示不同于齐言体的歌诗。他填写《忆江南》词，特别指出原曲为《谢秋娘》，而刘禹锡与白居易唱和的《忆江南》词，题目即标明“依《忆江南》曲拍为句”，可见这时文人填词还没有形成普遍的风气，还是一种新鲜的创作方式，所以需要做些说明。从此以后，作词的风气在文人中间就发展起来，盛行于晚唐五代，而大盛于两宋。

关于唐代大曲的研究，根据唐代文献可以知道，大曲分为三大段，即“散序”、“中序”和“破”。每一大段包括若干“遍”，遍也是段的意思。早期的大曲歌词都是齐言诗，到宋代才有长短句体的大曲词（散序无拍，不配诗词）。

我国的讲唱文艺源远流长，唐代的变文有了新的发展。在唐代，民间有“转变”，学者或认为即讲唱变文。案“转”或写作“啭”，是唱的意思。寺院利用这种形式宣扬佛法，但为了招引听众，募集布施，于是广泛采用社会题材。这种形式称为俗讲，所用说唱底本称为变文。《乐府杂录·文叙子》条记载：“长庆中（821—824年），俗讲僧文叙（溆）善吟经，其声宛畅，感动里人。乐工黄米饭依其念四声‘观世音菩萨’，乃撰此曲（《文溆子》）。”唐赵璘《因话录》说：文溆举行俗讲时，“听者填咽寺舍”。可见他的歌声深受群众赞赏。[1]

但唐代的变文直到敦煌莫高窟藏经洞被发现以后，大家才看到。关于变文的范围，说者多有分歧，现在暂时以说唱故事的文艺作品为限。就这批变文的形式说，可以分为三类：（1）有说有唱，是标准形式，占多数。（2）只唱不说。（3）只说不唱，和音乐无关。也许第二类说的部分不多，第三类唱的部分不多，在写定文本时便省去了，待讲唱时再临时补充。变文的咏唱部分，主要是五言或七言诗。大约佛教变文多采用佛曲，其他变文多采用流行乐曲。

唐代的音乐资料还有敦煌莫高窟一七窟发现的乐谱和舞谱。乐谱是“工尺谱”，用“工”“尺”等笔画简单的字记写唱名（图三），有《倾杯乐》《西江月》《心事子》《伊州》等九曲。这种记谱法不知始于何时，但发展到敦煌乐谱的记写水平，一定经历过相当长的实用过程。敦煌舞谱残卷包括《遐方远》《南歌子》等六曲，还有《五段子》等三曲各一段，所用谱字有“令”“送”“摇”“据”等，也是企图用最少的谱字记录下每个舞蹈的动作和结构。但无论舞谱或乐谱，记下来的都只是基本结构，在表演或演奏时都还需要乐舞伎临时依照

① 参看向达：《唐代俗讲考》（见《唐代长安与西域文明》论文集）。

乐舞规律加工，或即兴加以补充调整。

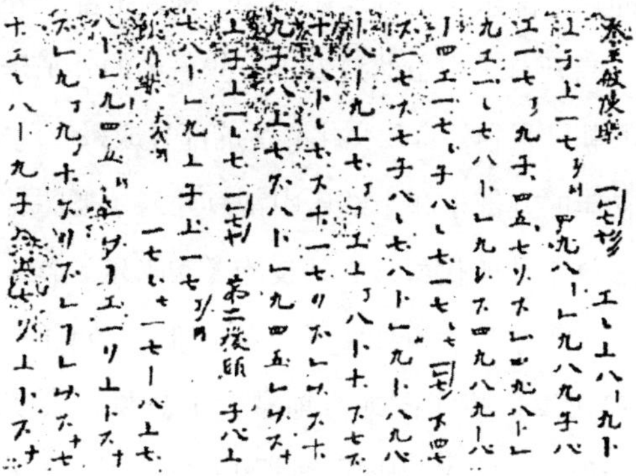

图三　唐《秦王破阵乐》曲谱（部分）
抄在后唐长兴四年（933年）讲经文背面

隋唐时期，由于陆路（主要是丝绸之路）和海路交通的发达，商业贸易的兴旺，国际政治活动的加强，宗教的传播，地理知识的增进，民族迁徙流动的频繁，东方各国各民族开始了更加广泛的接触。各国各民族都有长期积累的文化成就，一经接触，彼此发现各方都有特异之处，足以取长补短，充实各自的社会生活内容，因此，引起了大规模的活跃的文化交流运动，而乐舞艺术又是其中最显著的一种事物。当时中国由于所处的地理位置，以及在经济和文化上所取得的成就，很自然地成为东方文化交流的枢纽地带，唐朝的首都长安成为当时的国际大都市。

隋朝的“七部乐”中有外来乐舞三种，七部之外又有外来乐舞五种。宫廷燕乐中虽然只安排一些著名的外来乐舞，也可以反映南北朝以来中外音乐文化交流的部分成果。

唐代初年的九部乐和十部乐中都有外来乐舞四种。后来十部乐为坐、立部伎所代替，立部伎的《太平乐》就采取了天竺乐舞因素。《太平乐》也称《五方狮子舞》。狮子原出于“天竺、狮子等国”。狮子国即今斯里兰卡。舞蹈表演时，驯狮人“作昆仑象”，即化装成黑皮肤的人。“百四十人歌《太平乐》，舞抃以从之。”[①]古代泛称东南亚诸岛为昆仑。

唐代有许多著名的艺人和宫廷乐师来自中亚。[②]如“舞胡”安叱奴来自安国；琵琶名手曹善才、曹纲来自曹国，曹国故地在今中亚撒马尔罕的北方；米嘉荣、米和郎来自米国，米国故地在撒马尔罕的西南方。唐代的教坊吸收了一些中亚、印度以及更远地区的乐舞。如《柘枝》源出于石国，石国即今中亚的塔什干；《婆罗门》出于印度；《拂林》出于东罗马帝国或其东方属地，等等。

---

① 唐杜佑：《通典》卷一四六。

② 参看向达：《唐代长安与西域文明》（见同名论文集）。

隋朝宫廷燕乐《天竺乐》中有《天曲》，《天曲》就是佛曲。当时有些佛曲已经在社会上流行，其中有代表性的被选入燕乐中。到了唐代，佛教音乐在中国有很大发展。有些佛曲经过改编，有些为民间乐曲或传统乐曲所代替，中国僧人也创作佛曲。但总有一部分佛曲或多或少带些印度或西域的音乐因素，有宗教意味。寺院也起了传播西域和印度乐舞的作用。

唐代的其他外来宗教，还有摩尼教、袄（xiān）教、景教等。摩尼教出于波斯，约6至7世纪传入我国新疆，武则天延载元年（694年）传入长安。《隋书·音乐志》所载宫廷燕乐《龟兹乐》中有歌曲《善善》《摩尼》。或认为应读为《善善摩尼》，即鄯善地方的摩尼教乐曲。[1]但《通志·乐略》所列龟兹乐舞曲名及顺序与《隋书》稍有不同，《善善》和《摩尼》不相连接，显然不是一个乐曲。《摩尼》也未必和摩尼教有关。袄教也称火袄教，出于波斯，约于北魏神龟年间（518—519年）传入中原。据记载，河南府袄祠祭神时，“琵琶、鼓笛，酣歌醉舞。”[2]这可能是袄教徒祭神时的普遍状况。袄祠中主持祭祀的僧人称为“穆护”。唐代有《穆护子》、《穆护砂》（砂应作煞）等乐曲，都可能和

① 〔日〕岸边成雄：《唐代音乐史研究》第五章。

② 旧题唐张鷟著：《朝野佥载》卷五。

祆教有关。又《教法佛经》称“祆神”为“摩醯首罗”，[①]而唐天宝十三载（754年）太乐署改诸乐名，其中《摩醯首罗》改名《归真》[②]，任半塘认为此曲可能和祆教有关。[③]景教是基督教的聂斯脱利派。唐太宗贞观九年（635年），教徒叙利亚人阿罗本等经波斯来长安译经传教。敦煌发现的七八世纪的景教资料中，有一种即近代天主教“弥撒”中所唱的《荣福经》（*Gloria in Excelsis*），又杂以《谢恩经》（*Te Deum Laudamus*）。[④]既有歌词，也应有相应的曲调，[⑤]当然曲调或有变化，或由中国曲调代替。

其他国家，还有“室利佛逝”国于七八世纪之间，曾派遣使臣带领艺人到长安。室利佛逝即今印度尼西亚的苏门答腊。唐代宗大历十二年（777年），渤海国的使臣送日本舞女十一人到长安。唐德宗贞元十八年（802年），骠国（今缅甸）派遣庞大的乐团携带乐器十九种三十二件，到达长安。演奏的乐曲有十二首。这些国家的乐舞对唐朝的乐舞都有影响。

---

① 宋姚宽：《西溪丛话》卷上。

② 《唐会要》卷三三。

③ 任半塘：《教坊记笺订》页134。

④ 方豪：《中西交通史》页415。

⑤ 参看刘奇：《中国传入的基督教会音乐探寻》，《音乐艺术》1987年第1期。

唐代的中国人民对外来乐舞的吸收，是有条件、有选择的。他们所采取的方法可以分为三种：

（1）吸收——例如，唐代曾一度盛行由波斯传来的“泼寒胡戏”。在严冬季节，表演者“裸体跳足”，持油囊装水，互相泼洒，载歌载舞，以为戏乐。后来，此戏被禁绝，但所用的舞蹈《浑脱》、乐曲《苏幕遮》却保留下来。“浑脱”大概是波斯语“口袋”（kunda）的音译，“苏幕遮”大概是波斯语“披肩”（samosa）的音译。

（2）融合——例如，用《浑脱》舞和中国传统的剑舞糅合起来，成为《剑器浑脱》。开元年间，舞蹈家公孙大娘擅长此舞，“浏漓顿挫，独出冠时”。杜甫为她和她的弟子的精湛艺术，写下了《观公孙大娘弟子舞〈剑器〉行》著名的诗篇。

（3）改编——例如，天宝十三载（754年），太乐署公布更改一大批乐名舞名，其中“沙陀调”《苏幕遮》改为《宇宙清》，“金风调”《苏幕遮》改为《感皇恩》。乐曲改名不只是为了使曲名中原化，而且也意味着乐曲本身已经按照中原风格的要求经过了改编或再创作。这次改名的乐曲中有外来乐曲，也有我国西部民族地区的乐曲。唐代乐人采取这些方式对唐代音乐加以补充。

隋唐时期，中国乐舞也不断地向四周各国传播。例如，当时最流行的乐器之一“筚篥”即出于龟兹。语言学家岑麒祥说，古龟兹语称筚篥为“巴勒喀”（vallaki），“喀”是词尾，是微小的意思。案汉语筚篥当是龟兹语的音译。现在维吾尔语称筚篥为“皮皮”，有的地方也称“巴勒满”，其形状及名称都和vallaki有继承关系。筚篥流传到各邻国，或称为筚篥，如朝鲜、日本；或称为筚，如越南、泰国。流传到伊朗后，波斯语称为“巴勒般”，当是巴勒满的音变。

唐朝初年，有歌颂“秦王”李世民（即后来的唐太宗）的《秦王破阵乐》，有歌有舞，影响很大。贞观三年（629年），僧人玄奘到印度取经，当地的两个国王都对他谈论过这个著名的舞蹈。[①]他们都只是听说过，似乎没有看到。

隋炀帝大业八年（612年），曾在中国学习乐舞的百济人味摩之到了日本，传授“伎乐舞”。伎乐舞即指中国乐舞。当时，日本推古天皇在位，由圣德太子（即厩户皇子）摄政。圣德太子把这种舞蹈定为佛教祭仪，以后就逐渐盛行起来。[②]味摩之带去的伎乐面（假面），至今保存在东京国立博物馆里。据日本史书记载，当时对传入日本的中国乐舞，“皇太子厩户最好而讲之，于是韩、吴诸乐始行于世。”[③]所谓“韩乐”，

① 玄奘：《大唐西域记》卷五、一〇。
② 《日本书记》卷二二。
③ 《大日本史·礼乐志》。

指朝鲜乐舞，“吴乐”指中国乐舞。公元702年，日本宫廷设“雅乐寮”，有唐、高丽、新罗及伎乐等乐师。隋唐乐曲不断地传到日本，见于著录者就有一百五十多首。[①]大约从8世纪后期，日本流行一种歌谣俗曲，称为“催马乐”（saybala）。据日本学者河口慧海考证，saybala是西藏语“saybar”的音译。saybar是“地方恋歌”的意思。日语saybala的内容并不限于爱情，歌词中有时掺杂着藏语。流传到今天的只有七章。

朝鲜古代宫廷乐舞分为两类：唐乐，指由中国传过去的乐舞；乡乐，指朝鲜本国的乐舞。这种分法大约始于唐代。9世纪前期，在中国学习佛法及梵呗的新罗禅师真鉴，回国后传授梵呗，开创了一个流派。

唐代末年，各地藩镇割据一方，唐朝已无力控制。唐朝覆灭后，即出现“五代十国”的分裂局面，中原音乐的发展又受到挫折。

五　宋元时期的音乐

宋朝建立之后，一时全国出现了相对安定的状态。又由于

---

① 《大日本史·礼乐志》。

经济的发展，全国出现了一些手工业和商业城市。北宋的都城汴京（今开封）是政治中心，也是商业城市。此外，如成都、临安（今杭州）、广州、泉州等也都是人口众多、商业发达的城市。公元1127年，宋朝被北方的金朝逼迫，迁都临安，此后至公元1279年元朝统一之前，历史上称它为南宋。南宋偏安江左，经济继续发展，临安等地的商业日益兴盛。这种社会状况为音乐的发展提供了条件。

北宋也设立了教坊。据记载，教坊初分为四部，但内容不详，可能是指坐部、法曲部、鼓笛部（立部）和龟兹部而言；后又以艺人职务分为十三部，包括筚篥部、大鼓部、拍板色、笛色、琵琶色、舞旋色、歌板色、杂剧色、参军色等，规模远不及唐代。南宋迁都临安之后，有时设置教坊，有时撤销，朝廷有事则临时招集市上艺人表演。

自北宋起，搜集整理民间音乐的事业已经从官府艺人手里转移到民间艺人手里。无论是在汴京或临安，民间艺人已经自动组成了自己的团体，有了固定的表演场所，叫作“瓦子”或“瓦肆”。这一方面说明，城市里有这样的需要，光官府艺人已不能应付；另一方面也说明，民间音乐艺术的成就和内容，民间艺人的造诣和数量，都足以适应这样的需要了。民间艺人生活在群众当中，自然能直接反映人民的生活，及时汲取人民创造的音乐（图四）[①]。他们非常活跃，不像官府艺人那样受到种种限制。为了谋生或爱好，民间艺人要设法经常开展音乐活动，并以师徒或血缘关系传授技艺，以保持和提高创作和表演的能力。

图四　敦煌莫高窟61窟维摩诘变小酒店中的舞人（宋）

南宋出现了载歌载舞的戏剧，有大型的，也有小型的，流行于城市和乡村，随时随地吸收民间的歌曲。这样，民间歌曲的发掘、整理和传播又增加了许多机会。

① 转引自《敦煌舞姿》页94。

在南宋和金朝南北对峙的时候，金朝的都城中都（今北京）是北方的文化中心，这里也聚集着大批的民间职业艺人。他们对于乐舞、戏剧以及文学的发展，也都做出了贡献。

元世祖灭南宋后，把南宋朝廷的乐工、乐器运到元朝都城大都（今北京）。实际上，在当时的临安和大都从事音乐戏剧工作的，主要是民间艺人，朝廷乐工的去留已无足轻重。元代的音乐仍以中原和江南地区的民间音乐为主。当时由于一些民族的迁徙流动，北方和西部诸民族的音乐不断地传入中原地区，丰富了中原音乐的内容；而大批的外国人迁入中国，带来了他们的音乐文化，又使中国音乐增添了新的因素。

宋代的乐曲，在旋律、曲式和组合方面，都有较大的发展变化，因而配合乐曲的歌词也呈现出多种形式。今按曲式即歌词的体裁简略地加以讨论。

1. 词和散曲

词盛行于晚唐五代，而大盛于两宋。由于新乐曲不断地增加，而旧乐曲有的消失了，有的经过发展变化，又获得了新的生命，所以宋代的词调增加了很多。但民间曲词保留下来的很少，大量的作品出于文人之手。南宋初年有流行的一首“吴歌”：“月子弯弯照九州，几家欢乐几家愁！几家夫妻同罗帐，几家飘散在他州！”宋孝宗淳熙十六年（1189年），诗人杨万里在长江乘船夜航，听到舟人唱歌。他记载：

> 有云：“张哥哥，李哥哥，大家着力齐一拖。”又云：“一休休，二休休，月子弯弯照九州。”其声凄婉，一唱众和。

诗人受了启发，写成《竹枝词》七首。其中一首说：“月子弯弯照九州，几家欢乐几家愁！愁杀人来关月事？得休休处且休休。”此诗第二句也应当是舟人的歌词。“月子弯弯”这首民歌，直至新中国成立以前仍然在各地传唱。[①]不知在宋代用什么曲调唱，杨万里听到的是“其声凄婉，一唱众和”。

宋词的乐谱流传下来的不多。南宋初年，词人姜夔不但擅长填词，而且擅长作曲。他的词作有17首的乐谱（工尺谱）传下来（其中14首乐谱是他的自度曲），由杨荫浏译为现代乐谱后，我们就听到了宋词的旋律。

金元时期的“散曲”是对杂剧而言，分为两种：小令，配合“只曲”（单曲）；套数，配合由同一宫调的若干只曲所组成的套曲。散曲和杂剧都继承了一些词调。

---

① 参看杨荫浏：《中国古代音乐史稿》第十二章。

2. 大曲词

唐代关于大曲的资料流传下来的不多，但宋代大曲的规模是继承唐代的而没有什么变化，因此，根据唐宋两代的文献，可以了解大曲结构的轮廓：

<table>
<tr><td colspan="2">散序</td><td colspan="10">腔</td></tr>
<tr><td colspan="2">散序</td><td colspan="2">中序
（拍序）</td><td colspan="8">破</td></tr>
<tr><td>散序</td><td>靸</td><td>排遍</td><td>攧</td><td>正攧</td><td>入破</td><td>虚催</td><td>衮遍</td><td>实催</td><td>衮遍</td><td>歇拍</td><td>杀衮</td></tr>
<tr><td colspan="2"></td><td></td><td colspan="9">曲破</td></tr>
</table>

唐宋大曲的一般结构分为这样的十二遍，各有专名。任二北认为，遍名“皆各由其拍法而定”，可作拍名观。[①]案大曲都配舞，舞蹈由鼓点指挥。这些遍名中可能有些是鼓点的名称，表示敲击的方法及节奏特点。西安历史悠久的“鼓乐”中，就有“滚击”的手法，鼓曲中又有《往里滚》《往外滚》的名目，不知此“滚”字是否和唐宋大曲的“衮”字有关。大曲的每一遍中也往往包含几小段。

唐代流传下来的大曲《伊州》歌词，包括“歌第一”

① 《南宋词之音谱拍眼考》，《东方杂志》24卷12号。

至“第五”五遍，“入破第一”至“第五”五遍，每遍歌词都是五言或七言绝句，其中有些是诗人的作品。“歌”大致指中序，“入破”大致指“入破”以下各遍。大曲各遍的遍数，记载或有出入。散序及靸无拍，不填词。现存南宋大曲词有三套，即董颖《道调薄媚》（西子词）、曾布《水调歌头》（冯燕传）、史浩《采莲》（寿乡词），分别描述美女西施、侠客冯燕的生平故事以及对仙境寿乡的想象。每套大曲中各遍曲词的格律不同，可见各遍乐曲的曲式不同。大曲本来都有舞蹈，当歌唱故事时，原来的舞蹈已不适用，大概只用大曲的音乐。在大曲的基础上又产生了队舞，如宋朝教坊的“小儿舞队”和“女弟子舞队”。队舞有音乐、舞蹈、唱词和朗诵，场面很大。至元代，也有队舞，称为“乐队”。

3. 鼓子词和唱赚

鼓子词，其格式为：〔散文〕+〔词〕+〔散文〕+〔词〕……有说有唱，是在唐代变文基础上发展起来的一种叙事文学体裁。唱赚是组曲形式，又分两类：“有引子、尾声者为缠令；引子后，只以两腔互迎，循环兼用者为缠达。”[①]

① 南宋灌园耐得翁：《都城纪胜》。

（1）缠达（转踏、传踏） 其格式为：〔引子〕+〔甲曲〕+〔乙曲〕+〔甲曲〕+〔乙曲〕……现在看到的几种宋人《调笑转踏》，都没有引子，格式是诗词兼用，如郑仅《调笑转踏》，开头没有引子。引子可能是器乐曲，不填词。一诗一词，构成一组。词调都是《调笑令》，诗都是七言八句。大概唱诗时都用固定的吟诵调，无须注明。

（2）缠令 其格式为：〔引子〕+〔甲曲〕+〔乙曲〕+〔丙曲〕+〔丁曲〕……金董解元《西厢记诸宫调》采用了许多缠令曲式，也没有引子。如《侍香金童缠令》包括乐曲《侍香金童》、《双声叠韵》、《出队子》和《尾》各段。

4. 诸宫调

其格式为：甲调（甲曲+乙曲……）+乙调（甲曲+乙曲……）+丙调（甲曲+乙曲……）……是北宋神宗（1068—1085年在位）时民间艺人孔三传创作的一种大型说唱形式，包含不同宫调的只曲和套数，波澜起伏，组合严密。《西厢记诸宫调》就用了十四个宫调、一百五十一支基本乐曲。所用乐曲可以分为三类：（1）单曲，极少。（2）单曲，加尾。（3）缠令——最短的也包含两支乐曲和一支尾声。每类乐曲属于一个宫调，而各类乐曲的宫调或同或不同。诸宫调是根据剧情的发展变化而安排乐曲，又根据乐曲而填写唱词。这是一项复杂而宏大的艺术工程。

5. 杂剧和南戏

唐代就有参军戏和杂剧。1987年浙江黄岩灵石寺发现北宋乾德三年（965年）制作的戏剧人物雕砖，刻画的人物形象似参军戏表演。这时黄岩仍在吴越国统治之下。可见至迟在五代时期，这一带已有普遍的戏剧活动。[①]

宋代的音乐艺术既然已经取得这样的成就，再经进一步综合运用，水到渠成，自然产生了比较成熟的戏剧。北宋戏剧如何演唱，文献记载不详，但根据有关文物可以得到初步的了解。如1973年河南洛宁县上村两座相邻古墓中出土砖雕八块，上面刻画的形象有：（1）社火杂剧表演；（2）杂剧表演；（3）乐队演奏，所用乐器有筚篥、杖鼓、单面鼓，另一种乐器的形状不清楚，可能是筚篥。如果二、三两组砖雕出于一墓，那么，第三组的乐队就是为杂剧伴奏的。[②]这批宋金遗

---

① 王中河：《浙江黄岩灵石寺塔发现北宋戏剧人物砖雕》，《文物》1989年第2期。

② 廖奔、杨建民：《河南洛宁上村宋金社火杂剧砖雕叙考》，《文物》1989年第2期。

物反映出当时杂剧演出的部分情况。

南宋宫廷中扮演的杂剧，“或一场两段”，或“一场三段”。“先做寻常熟事一段，名曰‘艳段’：次做正杂剧，通名为两段。”扮演的角色，“每四人或五人为一场”，各有分工。[①]虽然没有剧本流传下来，但这种杂剧应当属于戏剧范畴。南宋周密《武林旧事》卷一〇记载了“官本杂剧段数”280本的名目。就这些名目看，多半是和唐宋大曲等结合的，如《莺莺六幺》大概就是用《六幺》大曲的曲调演唱崔莺莺的爱情故事的。所谓“段数”当是指杂剧中的一段而非全本。这种宋杂剧主要是在唐宋大曲、参军戏等艺术体裁的基础上发展起来的。参军戏最初只有说白，以后也有歌唱。“段数”中有诸宫调两本，即《诸宫调霸王》和《诸宫调卦册儿》，虽然为数不多，可见在南方杂剧已经开始尝试用诸宫调曲式表演故事，打破了同时只用一个宫调的大曲或其他曲式的局限，这是一项难度较大的演奏和歌唱艺术的进展。

元陶宗仪《南村辍耕录》卷二五记载金元院本六百九十本的名目。[②]院本和杂剧相似，是金元的一种称谓。宋室南迁以后，南北戏曲的发展有了显著分歧，也有会合之处。南宋“段

① 南宋灌园耐得翁：《都城纪胜》。

② 郑振铎认为应是713本。见《中国俗文学史》第七章。

数”和金元院本，凡标明所用乐曲的，当然有音乐配合；而没有标明乐曲的，大概多数也有乐曲配合，只有说白的很少。[1]

元杂剧也称“北杂剧”，是在宋杂剧、金院本、诸宫调等艺术形式的基础上逐渐产生发展的，也采用了一些传统乐曲，而采用最多的则是当时以大都为中心的北方流行歌曲。北杂剧是多层次的多种曲式的综合体。

南戏原来是歌舞小戏，也称“温州杂剧”，在北宋末、南宋初，即在宋杂剧和诸宫调影响之下，在温州民间乐舞活动中渐渐萌生发展。它采用了以温州为中心的南方民间乐曲和歌谣，不受杂剧形式的局限，表现出蓬蓬勃勃的生命力。南宋末年，南戏就盛行于临安一带。元朝统一之后，南北戏曲交流频繁，互相促进，都有进一步的发展。

从宋代起，载歌载舞的戏剧在中原人民的文化生活中占有重要位置，此后，在城市里歌舞单独表演的机会就相对减少了，但在农村和少数民族地区，歌舞依然风行。

宋元时期，中外音乐文化的交流不如隋唐时期活跃，但并未中断。如北宋末期，中国曾派乐工前往朝鲜传授乐舞，朝鲜乐工也多次来中国学习。宋徽宗政和七年（1117年），宋朝向

① 参看张庚、郭汉诚主编：《中国戏曲通史》第一编。

朝鲜宫廷赠送《大晟雅乐》及燕乐的乐器、乐谱和歌词，并派乐工前往传授声律。又如越南黎朝龙铤王在位时（1005—1009年）很宠信宋朝优人廖守忠，所谓优人当即指杂剧演员。越南在陈朝时（12—15世纪）盛行一种集体舞蹈，所用歌词有《庄周梦蝶》、白居易《母别子》诗等，所用乐曲有《降黄龙》《宴瑶池》等，都是从中国传过去的。宋人从越南得到了在中国久已失传的杖鼓曲《黄帝炎》。元代初年，中国优人李元吉在越南“做古传戏”，有《西王母献仙桃》等传，角色十二人，“着锦袍绣衣，击鼓吹箫，弹筝抚掌”，“更出迭入为戏”。[①]这正是元杂剧的表演形式。

大约10世纪上半期，突厥人和回鹘人建立了哈拉汗王朝，辖区包括今中亚巴尔喀什湖以东、以南地区及今新疆西部。其政治中心有两个，一是中亚楚河流域的巴拉沙口，一是新疆的喀什噶尔。哈拉汗王朝信奉伊斯兰教，因此，阿拉伯文化，其中包括音乐，逐步传入新疆。这个王朝大约在12世纪初年灭亡。[②]

哈拉汗王朝有个出生在巴拉沙口的音乐家法拉比（870—950年），经学者考证，或认为他是突厥人，或认为他是回鹘

① 〔越南〕黎文休：《大越史记·陈纪》。

② 参看新疆社会科学院民族研究所：《新疆简史》页155—160。

人。法拉比用阿拉伯文撰写《音乐全书》等著作多种，他的乐律学理论构成了波斯、阿拉伯的典型乐系。阿拉伯音乐受到波斯和龟兹音乐的影响。①

随着伊斯兰教传入新疆的阿拉伯和波斯音乐，对以后的新疆音乐影响较大。阿拉伯有一种讲故事或讲道的文学体裁，称为“木卡姆”，先传入新疆，大概在13世纪后期即传入内地。元朝于至元十七年（1280年）设置“天乐署”，“管领汉人、回回、河西三色细乐”。这里所说的“回回”指新疆一带的人。回回乐曲中有《马黑某当当》，《马黑某》可能即《木卡姆》大曲。②木卡姆这个名称虽然出于阿拉伯语，但它在内容和形式方面，却在新疆得到了很大的发展。

在元代又有几种新乐器经由新疆传入内地，如弹拨乐器“火不思”，或写作“浑不似”，是突厥语qobus的音译；③“七十二弦琴”，即坎农，来自印度，一说来自“报达国”（在阿拉伯东部）；“兴隆笙”，来自“回回国”（中亚的花拉子模），即早期的管风琴。

① 周菁葆：《木卡姆探微》，载《丝绸之路乐舞艺术》一书中。法拉比的全名为艾甫纳斯尔·法拉比。

② 董锡玖：《中国舞蹈史》（宋元部分）第三章。

③ 参看周菁葆：《丝绸之路的音乐文化》页287—288。

六　明清时期的音乐

在明清时期，封建社会内已经孕育着资本主义萌芽，虽然它有很大的局限性，但对当时音乐和戏剧的发展起了一定的推动作用。

明朝宫廷的音乐机构有“神乐观”，主管祭祀乐舞，以道士为乐舞生；有“教坊司”，主管宫廷宴飨乐舞。宫廷宴乐也“奏抚安四夷之舞”，有《高丽舞》《北番舞》《伍鲁速回回舞》等。也有队舞，如《九夷进宝队舞》《万国来朝队舞》等。

清朝初年沿用明制，设“神乐观”和“教坊司”，后改神乐观为“神乐署”，改教坊司为“和声署”；另有“南府”，专承应戏曲，艺人众多，后来缩小规模，改称“升平署”。宫廷宴乐中还安排边疆和邻国的乐舞八种：（1）“瓦尔喀乐”（瓦尔喀在吉林省东部），（2）“朝鲜乐”，（3）“蒙古乐”，（4）“回部乐”（新疆），（5）“番子乐”（藏族），（6）“廓尔喀乐”（尼泊尔），（7）“缅甸乐”，（8）“安南乐”（越南）。

明清时期，宫廷音乐在社会上的影响很小，而广大群众和民间艺人的音乐和戏曲活动则非常兴旺。民歌小曲和牌子曲是民间最流行的乐曲。牌子曲即联接若干小曲所组成的组曲，是唱赚（缠令、缠达）曲体的新发展。说唱曲艺主要是指叙述长篇故事的“弹词”和“鼓词”而言，形式有说有唱，以唱为主。这种体裁是由宋代的“鼓子词”、元代的“词话”等发展而成的。弹词流行于南方各地，伴奏乐器有琵琶、三弦等。鼓词流行于北方各地，演唱者自己击鼓，有时还用其他伴奏乐器如三弦、琵琶等。乐器可以调整增减。

歌舞小戏，到处都有，是用民歌小调组成的。如安徽的《花鼓》，湖南等地的《花灯》，北方的《小放牛》，内蒙古的《二人抬》和东北的《二人转》等。演员少则两人，多则十余人。有些小戏发展成戏剧，但小戏和戏剧仍然同时流行着。

明清时期，由于商业经济的发展，城市人口增多，需要娱乐活动，又由于社会的变化，人们要求艺术能反映日益复杂的社会生活，于是各地的戏剧在北杂剧和南戏的影响之下发展起来。南戏和江西弋阳、江苏昆山一带的民间曲调结合，产生了弋阳腔和昆山腔（昆曲）。明末清初，这两个剧种盛行。清代乾隆中期以后，昆曲渐衰，而所谓“乱弹”者代之而兴。乱弹即指弋阳腔、梆子腔、二黄调等。弋阳腔流传到各地，又分别和各地的语音土戏结合，发展成各种流派，如四川高腔、湖南高腔等。弋阳腔和由弋阳腔派生的各种流派，大都保留着帮腔的形式。各地方剧种传入大城市后，由于彼此交流吸收，逐渐形成一些包括多种声腔的综合性剧种，如京剧、汉剧、湘剧、楚剧等。戏剧对于各地方乐舞有很大的吸收和融化的涵聚力量。

明神宗万历年间，乐律学家朱载堉著《乐律全书》（1584—1606年成书），首先提出“新法密律”（即十二平均律）的理论。这是乐律学上的一项重大发明。《乐律全书》包括乐律、乐谱和舞谱等项内容。清乾隆十一年（1716年），周祥钰等编成《九宫大成南北词宫谱》，记录了南北曲的基本曲牌两千零九十四个，保存下来传统及清初流行乐曲的大量曲谱，是研究音乐史的重要资料。

明清时期，中外音乐文化仍有稀疏的交流现象。如明代流行的吹管乐器“唢呐”，源出于西亚一带，是从波斯经由新疆传入内地的。波斯语称为“苏尔奈”（surnay）。唢呐传入内地，至迟在明代初期。先用于军中，也称“号笛”。以后即普及于民间。

明万历二十九年（1602年），天主教传教士、意大利人利玛窦等，由澳门到北京，向万历帝呈献自鸣钟及铁弦琴等，并向内官（宦官）传授教会歌曲，写成《西琴曲意》八章。铁弦琴即欧洲的古钢琴（clarichord）。此外，北京的天主堂还有不少的欧洲乐器。但当时的教会音乐在社会上并没有什么影响。

击弦乐器“洋琴”或写作“扬琴”，源出于波斯一带，波斯语称为“桑图尔”（santur），早已流行于中亚及新疆地区。大概在明末清初，葡萄牙人又由海路从西方带到澳门，以后即流行于内地。

清康熙帝曾命传教士、葡萄牙人徐日升等到宫中为皇子讲授欧洲音乐。康熙五十三年（1714年），魏廷珍等编成《律吕正义》，其续编中即根据徐日升等人的介绍，讲述了欧洲音乐知识。

明洪武三年（1370年），明朝向朝鲜宫廷赠送雅乐乐器。朝鲜李朝太宗二年（明建文四年，1402年），朝鲜李朝“礼曹”（掌礼仪）议定的《国王宴使臣乐》规定：进茶，唐乐奏《贺圣朝令》；进初盏，歌《鹿鸣》，用《中腔》调；献花，歌《皇皇者华》，用《转花枝》调等。[①]所用歌词都采自中国《诗经》，所用乐曲也大都是从中国传去的。

越南黎朝太宗绍平四年（1437年），宦官梁平仿明朝乐器制定新乐，分为“堂上之乐”与“堂下之乐”。[②]越南的旧

---

① 《朝鲜李朝实录中的中国史料前编》卷上，第一册。

② 陈修和：《中越两国人民的友好关系和文化交流》第二章。

戏，在音乐、服装和表演形式等方面，都受了中国传统戏曲的影响。中国的戏剧人物，过去也常出现在越南戏剧舞台上。①

日本有一种说唱文学体裁，称为“琵琶物语”，它的形成是受了中国弹词的影响。日本“能乐”的戏剧形式，是受了元杂剧的影响而形成的。②明代末年，中国音乐家魏之琰东渡日本，带去明代流行曲谱二百多首，深受日本人民欢迎，称为“明乐”。清康熙十六年（1677年），僧人古琴家蒋兴俦到日本传授琴学，日人尊为东皋禅师，从此“在日本儒学者之间就有琴曲的传统”③。19世纪初年，中国音乐继续经长崎传入日本，称为“清乐”，加上以前传去的“明乐”，合称为“明清乐”，曾在日本长期流行。

在漫长的历史年代，我国古代各族人民共同创造的音乐文化，保存在丰富的文献记载和考古资料中，或者仍然保存在人们的音乐实践中。我们广大音乐工作者应当不断地搜集国内外保存的中国音乐史料，加以整理总结，探索历史，奔向未来。

① 陈修和：《中越两国人民的友好关系和文化交流》第二章。

② 〔日〕田边尚雄：《日本音乐史》第一章。

③ 〔日〕田边尚雄：《日本音乐史》第一章。

唐宋大曲之来源及其组织

序　言

宋沈括《梦溪笔谈》云："唐天宝十三载，以先王之乐为雅乐，前世新声为清乐，合胡部者为宴乐（燕乐）。"[①]此之所谓雅乐者即先秦之古乐也，清乐者即汉魏六朝之乐府也，燕乐者即隋唐之西域乐也。雅乐亡而清乐继起，清乐亡而隋唐燕乐独盛于世。燕乐所包括之种类颇多，而每类各有其性质特殊之乐曲。此种乐曲，最初往往配以绝句诗，以供歌唱。而继有依曲子之节拍音律，以填入长短句之歌词者，当时谓之"曲词"或"曲子词"，即唐宋词之所肇始也。自来讨论词体之起源者，率不知燕乐为唐宋词之所本，而乃漫于《三百篇》及乐

① 《笔谈》卷三。"燕"与"宴"通，"燕乐"以常用之于宴会而得名。

府诗中求之，故用力虽勤，其说终无是处也。近代有就当时之音乐，以推寻其发生之线索者，较之前人，殊多进步。然所见多偏于一隅而未能概其全，其所论列亦每为局部狭隘之追求，未有能观其会通者。遂使此一问题迄今悬而不决，学者引为遗憾焉。

民国二十八年（1939年）秋，余入北京大学研究院肄业，导师罗庸教授、杨振声教授谆谆以研治“词之起源及其演变”见嘱。罗庸师撰《工作指导说明书》，昭示进行之程序三点。

> 其一，现在唐五代宋词调之统计及时代之排比。
>
> 其二，就各调之性质分类，溯其渊源。
>
> 其三，依性质及时次，重编一“新词律”；主要在调名题解及说明其在文学史上之关系，不重在平仄律令之考订。

为统计及分析当时之词调，曾先后纂辑“词调长编”及“乐调长编”两种。前者著录词调八百余，后者著录乐调两千曲。从事既久，颇有所得。乃就各个词调归纳门类，如何者属于大曲，何者属于杂典等，先辨识清晰，然后分别逆溯其源，而由源返顾，复顺推其流。如是，则词调之来历及其变迁，词体之形成及其繁衍，庶皆可畅言其详矣。顾燕乐中有大曲一种，每曲由十余乐章组成，结构颇为复杂。其为唐代之梨园法部所用者，谓之“法曲”；如仅截取其后半部分，则称为“曲破”。故法曲与曲破皆可归属于大曲。大曲盛行于唐宋而为两代音乐中最高之典制。其影响所及，不惟产生若干词调曲调，即宋之杂剧，金之院本，元之杂剧亦莫不沿承其余绪。其在文学史上所居地位之重要，可想而知。海宁王国维先生著《唐宋大曲考》，开拓此学之区宇，诚有导夫先路之功。惜所论只限于宋代，唐代大曲则多未涉及。即宋代部分亦过于简略，且其中又有需要重新商榷者。因继王先生之后，拟写《唐宋大曲新考》。然此问题牵涉既广，范围斯大，今先将其来源及组织，论述于此，而其余诸篇，姑俟之异日。至本书之写作，除两位导师终日耳提面命外，罗常培师及向达师亦时时指教，并书此以识不忘云。

一　大曲产生之背景

《唐六典注》尝谓雅乐、清乐、燕乐中皆有大曲。[1]实则

① 卷一四，《协律郎》条。

唐代之雅乐既非先秦之旧观，而清乐亦仅为汉魏之残余，独燕乐风行于世，故本文所论唐宋之大曲，均以燕乐为限焉。然欲论燕乐之传入以及盛行之情形，必先述雅乐清乐消亡之概略。背景既明，则大曲之所由出，亦可得而言矣。

1. 雅乐清乐之消亡

所谓先王之雅乐，自经战国之乱，工伎渐缺，传于后世者，盖已无几。及汉魏之际，即号称娴谙旧乐之杜夔，所传古声辞亦不过《鹿鸣》《驺虞》《伐檀》《文王》四曲。而魏明帝太和中（227—232年），左延年又改其后三曲，自作声节，文虽并存，声则异古。其余一曲，亦亡于晋世。然自隋唐以后，历代所专用于郊庙之宫悬，当时亦名为雅乐。其乐律虽袭古制，而乐器则为迂阔儒生以累黍截竹之法而制造者，徒具形式以惑世自欺而已。《新唐书·礼乐志》云："自周隋以上，雅郑淆杂而无别，隋文始分雅俗二部。"凌廷堪氏以为雅部乃郑译所附会者，[1]意谓有名无实也。唐乐亦分雅俗两部，而所谓雅乐者乃隋协律郎祖孝孙所造，[2]以备祭享大典中充数之用。《旧唐书·音乐志》云："太常阅坐部不可教者隶立

① 《燕乐考原》卷一。

② 《通典》卷一四六。

部，又不可教者乃习雅乐。”（坐、立部伎皆当时之俗乐，详见下文。）元稹《立部伎》诗云：“太常雅乐备宫悬，九奏未终百寮惰。淴潩难令季札辨，迟回但恐文侯卧。工师尽取聋昧人，岂是先王作之过。”白居易《立部伎》诗自注：“太常选坐部绝无识性者，退入雅乐部。”雅乐之凌替而不受人欣赏，以至于此。五代各国之雅乐，沿承唐制，且已不全，故后晋宫悬乐舞即“杂用九部教坊法曲”。[①]赵宋一代之雅乐，自建隆迄崇宁（960—1107年），凡经六易。除写作几部乐书，制造几色无用乐器外，一无成绩可言。南渡后，朱熹、蔡元定等虽相与讲明古今制作之本原，而亦无补于实际之雅乐。故所谓雅乐者，终不能与燕乐相提并论焉。仁宗天圣中（1023—1031年），张知白尝云：“今太常宫悬，钟磬埙篪，搏拊之器，与夫舞缀羽籥干戚之制，类皆仿古。逮振作之，则听者不知为乐，而观者厌焉。古乐岂真如此哉？”[②]又孝宗兴隆二年（1164年），洪适奏议云：“臣职在太常，不容箝嘿。窃谓古今不相沿乐，金石丝竹不入俗人之耳。故通国无习其艺者，而听者则倦且寐。独以古乐用之郊庙耳。”[③]盖一种音乐既已

① 《文献通考》卷一二九。

② 《宋史·乐志》一七。

③ 《宋会要稿·乐部》引《永乐大典》卷二一六八三。

消亡，则不可复生。唐宋徒託空言之士，所斤斤于援据古曲而制作之乐器，乐工用之，实已往往参入俗乐之法。《辽史·乐志》讥之曰：“其器雅，其音亦西。”宜乎听者倦且寐矣。

前述雅乐之余波，虽至晋代始绝，而自西汉初年即有一种新乐起而代之。及武帝设立乐府而集其大成，此种新乐即以“乐府”为名。当时对雅乐言，或诋为郑卫；而隋唐对燕乐言，则谓之“清乐”（乐府以清商三调为主）。清乐盛行于汉魏。后经晋怀永嘉之乱，中原烽火滋扰，其声遂南渡。南朝之宋、齐、梁、陈所传者，虽各代微有变迁，究属汉魏之嫡系也。北朝拓跋魏起于朔方，与南朝文物初无接触，其音乐固亦无承继乐府之旧者。至太和十七年（493年），孝文帝讨淮汉，景明元年（500年），宣武帝定寿春，始收其所传中原旧曲《明君》《圣主》《公莫》《白鸠》之属，及江南吴歌，荆楚西声，总谓之“清商”。[①]然据隋文帝时，祖珽奏议云：“至永熙（北魏孝武帝，532年即位）中，录尚书长孙承业及臣先人太常卿莹等，斟酌缮修，华戎兼采，至于钟律，焕然大备。”[②]则其乐虽有采自清商者，然驳杂已甚。至于北齐之乐，据《通典·乐典》云：“其时郊庙宴享，皆魏代西凉

① 《魏书·乐志》。

② 《隋书·音乐志》。

伎。”而北周之乐，《隋书·音乐志》云：“所用皆是新造，杂有边夷之声。”盖益与清乐无甚关系。

隋文帝开皇二年（582年），齐黄门侍郎颜之推上言：“礼崩乐坏，其来已久，今太常雅乐并用胡声。请凭梁国旧事，考正雅乐。”文帝不从曰：“梁亡国之音，奈何迁我用邪？”后因沛公郑译奏请，诏何妥、辛衍之等议正乐。然沦谬既久，音律多舛，积年不能定。至开皇九年（589年）平陈，获宋、齐旧乐，始于太常设“清商署”以管之，求陈太乐令蔡子元、于普明等复居其职。[①]开皇之七部乐与大业之九部乐，所以皆有清乐者，即缘蔡、于等所传也。但其时之清乐，《隋志》谓“以新律吕，更造乐器”，是否纯系南朝之旧，亦成问题。且至大业元年（605年），炀帝即位后，即罢清商署矣。[②]

唐高祖御宇后，宴享因隋旧制，所用之九部伎中亦有清商伎。后太宗增为十部仍有之。然其乐曲，据《通典·乐典》云：

遭梁陈亡乱，所存盖鲜。隋室以来，日益沦缺。大唐武太后时，犹六十三曲。今其辞存者，有《白雪》、《公莫》、

① 《隋书·音乐志》。
② 《隋书·百官志》。

《巴渝》、《明君》、《明之君》、《铎舞》、《白鸠》、《白纻》、《子夜》、吴声四时歌、《前溪》、《阿子歌》、《团扇歌》、《懊侬》、《长史变》、《督护歌》、《读曲歌》、《乌夜啼》、《石城》、《莫愁》、《襄阳》、《栖乌夜飞》、《估客》、《杨叛》、《雅歌》、《骁壶》、《长林欢》、《三洲采桑》、《春江花月夜》、《玉树后庭花》、《堂堂》、《泛龙舟》等，共三十二曲。《明之君》《雅歌》各二首，四时歌四首，合三十七曲。又七曲有声无辞，《上林》《凤曲》《平调》《清调》《瑟调》《平折》《命啸》等，通前为四十四曲存焉。

又云：

自长安（701 年）以后，朝廷不重古曲，工伎转缺。能合于管弦者，惟《明君》《杨叛》《骁壶》《春歌》《秋歌》《白雪》《堂堂》《春江花月夜》等共八曲。旧乐章多或数百言，时《明君》尚能四十言，今所传二十六言，就中讹失，与吴音转远，以为宜取吴人，使之传习。开元中，有歌工李郎子，北人，声调已失，云学于俞才生，江都人也。至郎子亡后，清乐之歌阙焉。（中略）惟弹琴家犹传楚、汉旧声及清调、瑟调，蔡邕五弄调，谓之“九弄”，雅乐独存，非朝廷郊庙所用，故不载。

清乐大都以琴瑟为主，故弹琴家犹欲守其师承。然一则讹谬传袭，已非一日，本身千疮百孔，难以自立；[1]即能传旧曲，亦不为时俗所重。[2]二则西域音乐弥漫全国，不能与之分庭抗礼。[3]三则中唐以后之帝王，每多厌弃其声。[4]朝廷郊庙且不用之，寥寥弹琴家岂能挽其颓势乎？

2. 西域音乐之盛行

雅乐清乐之消亡，固足招致西域乐（即燕乐）之传入；而西域乐之传入，实亦促进雅乐清乐之消亡。两者可谓互为因果。若远溯西域乐东渐之端，当自汉武帝时，张骞通西域，得《摩诃兜勒》

① 张籍《废瑟词》：“千年曲谱不分明，乐府无人传正声。”

② 刘长卿《听弹琴》：“古调虽自爱，今人多不弹。”白居易《五弦诗》：“嗟嗟俗人耳，好今不好古；所以绿窗琴，日日生尘土。”

③ 白居易《废琴》：“废弃来已久，余音尚泠泠。不辞为君弹，纵弹人不听。何物使之然？羌笛与秦筝。”戎昱《听杜山人弹胡笳》：“世上爱筝不爱琴，则明此调无知音。”

④ 南卓《羯鼓录》：“上（玄宗）性俊迈，酷不好琴。曾听弹琴，正弄未毕，叱琴者出，曰：待诏出去，谓内官曰，速召花奴（汝南王琎）将羯鼓来，为我解秽。”

二曲始。[1]及魏晋以下，南朝各代虽盛行清乐，然《齐书·高帝纪》有云："与左右作羌胡伎为乐。"《郁林王纪》："常列胡伎二部，夹阁迎奏。"《陈书·章昭达传》："每饮会，必盛设女伎杂乐，备尽羌胡之声。"所谓羌胡者，固明谓西域乐伎，毫无疑问；而胡伎者，盖亦指此辈人言也。拓跋魏雄踞北方，西域乐多于此时大量东传。《隋书·音乐志》云：

天竺者，起自张重华据有凉州（346—353 年），重四译来贡男伎，天竺即其乐焉。[2]

西凉，起苻氏之末，吕光、沮渠蒙逊等据有凉州（386—432 年），变龟兹声为之，号为"秦汉伎"。至魏周之际。遂谓之"国伎"。[3]（据此，即西凉乐实源于龟兹乐。）

疏勒、安国、高丽并起自后魏平冯氏，及通西域，因得其伎。[4]

---

① 《晋书》二三："张博望入西域，传其法于西京，惟得《摩诃兜勒》一曲。"崔豹《古今注》谓为二曲。

② 天竺即今之印度。

③ 凉州即今甘肃武威。当时以其位于西部边陲，故亦谓之西凉。

④ 案：魏太武太延元年（435年），平冯文通后，曾遣使二十辈使西域。《册府元龟》五七〇引乐部此条无高丽。疏勒，《新唐书·西域传》云："一名佉沙环。"一名喀什噶尔，在今新疆伽师县境。安国，《新唐书·西域传》云："一名布籍，又名捕喝。"即今中亚细亚之布哈剌（Bokhara），在撒马尔罕之西。

龟兹者，起吕光灭龟兹，因得其声。吕氏亡（403年），其乐分散，后魏平中原，复获之。其后声多变易。[①]

初太祖（北齐）辅魏之时，高昌欵附，乃得其伎，教习以备飨宴之礼。[②]

此数种乐伎中尤以龟兹伎最为时所重。《通典·乐典》二云："自宣武（后魏世宗，齐永元元年，公元499年即位）以后，始爱胡声。洎于迁都，屈茨琵琶、五弦、箜篌、胡箮、胡鼓、铜钹、打沙锣、胡舞，铿锵镗镗，洪心骇耳。"所谓屈茨琵琶即龟兹琵琶。后魏文帝时（535—551年），有西域人曹婆罗门者，受龟兹琵琶于商人，世传其业。及北齐之世，龟兹乐益盛。《北史·恩倖传》云："西域丑胡，龟兹杂伎，封王开府，接武比肩。"来自西域各地之乐人，大都以传习龟兹乐为主，而当时统谓之"胡小儿"或"胡儿"。其姓名可考者，有上述之曹婆罗门，及其子僧奴、其孙妙达，以及何朱弱、安马驹、史丑多等。[③]据向达教授及日本桑原骘藏氏之考证，此

① 龟兹，《新唐书·西域传》云："一曰丘兹，一曰屈兹。"史籍中亦称丘慈，屈支，屈茨。即今新疆库车县。

② 高昌，在今新疆吐鲁番县境，一名哈剌和卓，一名和州，一名火州，见法国伯希和著《高昌和州火州哈剌和卓考》。（冯承钧译《史地丛考》）

③ 《北史·恩倖传》及《隋书·音乐志》。

辈著名乐人皆系源出中亚细亚而入居中土者。[①]且皆以工歌能舞，得跻显位而被宠遇。如文宣帝高洋尝自击胡鼓，以与曹妙达相和，而僧奴女以善琵琶而为后主高纬之昭仪。其乐技之见重也如此。西域乐人至中原者既多，而后主又能自度曲，故《隋志》谓其："别裁新声为《无愁曲》，音韵窈窕极于哀思。胡儿阉官之辈，齐唱和之。"西域乐之盛行，可以想见其梗概矣。

北齐后主天统四年，北周天和三年（568年），周武帝所纳皇后阿史那氏至自突厥。[②]"西域诸国来媵，如龟兹、疏勒、康国[③]之乐，大聚长安。胡人令羯人白智通教习，颇杂以

---

① 曹婆罗门出身曹国。曹国即《大唐西域记》卷一之劫布呾那国，亦即阿拉伯地理学者所言之Kabudhan或Kabunhangekath，在撒马尔罕之东北。（案：其所以名婆罗门者，盖以原系僧人，入华后即以"婆罗门"呼之。其子名僧奴，孙名妙达，由名字上亦可见其逐渐华化之迹。）《北史·恩倖传》云："其曹僧奴，僧奴子妙达，以能弹胡琵琶（即龟兹琵琶），甚被宠遇，俱开府封王。"何朱弱（《通典》作安未弱），盖来自何国。《新唐书·西域传》："何，或曰屈霜你迦或曰贵霜匿。"即阿拉伯学者所言之Kaschanyah。史丑多来自史国。《新唐书·西域传》："史或曰佉沙，或曰羯霜那"，即今之Shahrisebz，在撒马尔罕之东南。安马驹来自安国。安国已见前。——见向达先生《唐代长安与西域文明》及桑原骘藏《隋唐时代西域人华化考》。

② 《周书·武帝本纪》。

③ 康国，《新唐书·西域传》云："康者一曰萨末鞬，亦曰飒末建"，即今中亚细亚之撒马尔罕（Samarkand）。

新声。”[①]此次任总领队之白智通，文中泛称羯人，盖即龟兹人。当时随后入国者，尚有一龟兹人名苏祇婆，精于龟兹琵琶。郑译从之学习，演成隋唐之“燕乐”。然燕乐之为西域音乐，前人每讳莫如深，至清人凌廷堪著《燕乐考原》始具体言之。实则隋唐所谓胡乐、俗乐、边声者，皆与燕乐异名而同实也。

隋开皇二年（582年），文帝欲正乐，郑译奏云：“听其（苏祇婆）所奏，一均（即一音级）之中间有七声。因而问之。答云：‘父在西域，称为知音，代相传习，调有七种。’以其七调，校勘七声，冥若合符：一曰娑陀力，华言平声，即宫声也。二曰鸡识，华言长声，即商声也。三曰沙识，华言质直声，即角声也。四曰沙侯加滥，华言应声，即变徵声也。五曰沙腊，华言应和声，即徵声也。六曰般瞻，华言五声，即羽声也。七曰俟利箑，华言斛牛声，即变宫声也。译因习而弹之，始得七声之正。”[②]案：此种乐制，向达教授著《龟兹苏祇婆琵琶七调考原》，谓为印度北宗音乐中之一派。[③]近年法国伯希和及枯郎（M. Courant）、勒维（S. Levi）诸人研究

① 引自《旧唐书·音乐志》。

② 《隋书·音乐志》。

③ 《学衡》第五十四期，民国十五年（1926年）六月出版。

南印度发现之七调碑，提出论文后，证明苏祇婆之七调确系源出印度，经中亚细亚及龟兹诸地而入中原者。[①]

龟兹琵琶法自经郑译悉心研究而推演其乐制后，无论雅乐、俗乐尽用其声。[②]其时虽有主张沿用旧乐之苏夔、何妥等力予阻挠，然风尚所趋，亦无可如何矣。关于龟兹乐盛行之情形，《隋志》云："至隋，有'西国龟兹''齐朝龟兹''土龟兹'等凡三部。开皇中，其器大盛于闾闬。时有曹妙达、王长通、李士衡、郭金乐、安进贵等，皆绝妙弦管。新声奇变，朝改暮易，持其音伎，估炫于公王之间，举世争相慕尚。高祖病之，谓群臣曰：'（略）公等对亲宾宴饮，宜奏正声；声不

---

① 光绪三十年（1904年），南印度普都可台州（Pudukkottoi）库几米亚马来（Kudimiyamalai）地方发现之七调碑，对于此问题之解决，帮助甚大。综观近人阐明苏祇婆七调之语源者，当以向达先生及枯郎、勒维之成绩最著。日本林谦三尝搜集诸家之说，著于《隋唐燕乐调研究》，今择要节录于下：

一、娑陀力　即七调碑中sadharita之对音。

二、鸡识　即七调碑中kaisika之对音。

三、沙识　陈旸《乐书》作"涉折"，勒维氏以为即sadja。

四、沙侯加滥　高南顺次郎以为即七调碑中之sadja-grama。林谦三谓"侯殆俟之讹"。

五、沙腊　即七调碑中sadaua之对音。

六、般赡　即七调碑中pancama之对音。

七、俟利箑　郑译谓华言斛牛声，枯郎氏遂有rsabha之比拟，此语有牡牛之意（rsab-ha略称为re，为印度七声之一。）

② 《辽史·乐志》。

正，何可使儿女闻也？’帝虽有此敕，而竟不能救焉。”以帝王之权威，尚不能挽救，亦知苏、何等反对新乐之言，徒费唇舌笔墨而已。

上文所引曹妙达、王长通等皆北齐之西域乐人。[①]然据《隋志》云“制氏（汉初有制氏者，世掌雅乐。）全出于胡人，迎神犹带于边曲。”是当时出身西域之乐人，为数甚多，而曹、王等最为出色耳。开皇中，置七部乐：一曰国伎（即西凉伎），二曰清商伎，三曰高丽伎，四曰天竺伎，五曰安国伎，六曰龟兹伎，七曰文康伎（即礼毕）。又杂有疏勒、扶南、康国、百济、突厥、新罗、倭国之乐。及大业中，炀帝乃定九部伎：

（1）清乐　歌曲《杨伴》。舞曲《明君》《并契》。

（2）西凉　歌曲《永州乐》。解曲《万世丰》。舞曲《于阗佛曲》。

（3）龟兹　乐正白明达造新声：《万岁乐》《藏钩乐》《七夕相逢乐》《投壶乐》《舞席同心髻》《玉女行觞》《神仙留客》《掷砖续命》《斗鸡子》《斗百草》《泛龙舟》

① 北齐王长通以善音乐，官至刺史，《隋志》列于龟兹条下，疑亦西域人。

《还旧宫》《长乐花》十二曲。歌曲《善善摩尼》。解曲《婆加儿》。舞曲《疏勒盐》。

（4）天竺　歌曲《沙石强》。舞曲《天曲》。

（5）康国　歌曲《戢殿农和正》。舞曲《贺兰钵鼻始》《末奚波地》《农惠钵鼻始》《拔地惠地》等四曲。

（6）疏勒　歌曲《兀利死壤乐》。舞曲《远服》。解曲《监曲》。

（7）安国　歌曲《附萨单时》。舞曲《末奚》。解曲《居和祇》。

（8）高丽　歌曲《芝栖》。舞曲《芝栖》。

（9）礼毕　行曲《单交路》。舞曲《散花》。①

案此九部中，仅清乐与礼毕仍可谓旧乐，其余皆西域乐也。

唐高祖即位（618年）后，不惟宴享因隋旧制，用九部乐，即伶工舞伎亦多前代旧人。如开皇大业间声名焕赫之王长通、白明达等又皆出现于此时。桑原氏谓白明达当是龟兹人，或系随北周突厥皇后入中原之一乐人。此外又有安叱奴者，高祖拜

① 上据《隋志》所载。《梦溪笔谈》卷五与此略有出入。解曲、舞曲等乃音乐中之专门术语，而《笔谈》皆割裂之，恐误。

为散骑常侍，而李纲上书指为“舞胡”，[1]知其必为西域人，盖来自安国。王长通、白明达等至贞观时，亦皆得授高爵。[2]其所以为朝廷如是之推重者，盖一则以其本人之乐技高明，二则各重要部伎实皆由西域人主持，故宠其领袖，以羁縻而鼓励之也。自此以后西域伶伎之人数，遂与日俱增。而九部伎至贞观初年，又扩为十部。[3]号称旧乐之礼毕被删，而增“高昌伎”及张文收所造之“燕乐伎”。[4]今将各部所用之乐器及乐工之服饰比较如第一表及第二表所示。

---

① 《唐书·李纲传》：“先令舞胡致位五品，鸣玉曳组，驰驱廊庙，顾非创业垂统，贻厥子孙之道。”

② 《唐书·马周传》。

③ 据《唐书·乐志》及《张文收传》，贞观十四年平高昌，设高昌伎，同年张文收造燕乐伎；于是九部中之礼毕被删，而增此两部，共为十部。十六年宴百僚始奏之。然案之同书《回鹘传》：贞观四年，回鹘入朝，“帝坐秘殿，陈十部乐”。贞观十五年召突利失，奏十部伎。则十部伎之完成而施诸宴会，当始于贞观初年矣。

④ 此处之燕乐乃张文收根据当时之俗乐而配制者，与隋唐之俗乐一概泛称为燕乐者不同。

第一表　十部伎乐器比较表[①]

（一）燕乐	（二）清商	（三）西凉	（四）天竺	（五）高丽	（六）龟兹	（七）安国	（八）疏勒	（九）康国[②]	（十）高昌
	编钟一	编钟一							
玉磬一	编磬一	编磬一							
	独弦琴一								
	击琴一								
	瑟一								
大小琵琶一	秦琵琶一	琵琶一	琵琶一	琵琶	琵琶一	琵琶一	琵琶一	琵琶*	琵琶二
卧箜篌一	卧箜篌一	卧箜篌一		卧箜篌				箜篌*	
		竖箜篌一		竖箜篌	竖箜篌一	竖箜篌一	竖箜篌一		竖箜篌一
大小箜篌一			凤首箜篌一	凤首箜篌					
筑一	筑一								
搊筝一	筝一	搊筝一		搊筝					
		弹筝一		弹筝	弹筝一				

---

① 新、旧《唐志》所载略有不同，此据《新唐志》。

此部乐器，疑记载不完备。注*符号者，据《隋书·西域传》增补。

续表

（一）燕乐	（二）清商	（三）西凉	（四）天竺	（五）高丽	（六）龟兹	（七）安国	（八）疏勒	（九）康国	（十）高昌
毛员鼓二			毛员鼓一		毛员鼓一				
						正鼓一		正鼓一	
连鞉鼓二									
						和鼓一		和鼓一	
	节鼓一								
			羯鼓一				羯鼓一		羯鼓二
桴鼓二									
		腰鼓一		腰鼓	腰鼓一		腰鼓一		腰鼓二
		齐鼓一		齐鼓	骑鼓一				
		檐鼓		檐鼓	檐鼓一				
			都昙鼓一		鼓昙鼓一				
				龟头鼓					
					答腊鼓一		答腊鼓一		答腊鼓二
					侯提鼓一		侯提鼓一		
					鸡娄鼓一		鸡娄鼓一		鸡娄鼓二

续表

（一）燕乐	（二）清商	（三）西凉	（四）天竺	（五）高丽	（六）龟兹	（七）安国	（八）疏勒	（九）康国	（十）高昌
大小笙一	笙二	笙一		笙	笙一				
				葫芦笙					
长笛一	笛二	笛一		义觜笛				笛二	
短笛一		横笛一	横笛一		横笛一	横笛一	横笛一		横笛二
箫一	箫二	箫一		箫	箫一	箫一	箫一		箫二
	篪二								
方响一	方响二								
铜钹一		铜钹二	铜钹二		铜钹二	铜钹一		铜钹二	
	跋膝二								
吹叶一	叶一								
大小五弦一		五弦一	五弦一	五弦	五弦一	五弦一	五弦一	五弦*	五弦二
大小角觱篥一		觱篥一	觱篥一	大觱篥	觱篥一	觱篥一	觱篥一		觱篥二
		小觱篥一		小觱篥					
				桃皮觱篥					
贝二		贝一	贝一	铁板贝	贝一				
									铜角一

第二表　十部伎乐工、舞工之服饰比较表[①]

部伎	乐工	舞工
燕乐	工人绯绫袍，丝布裤。	舞二十人分为四部：（一）景云乐，舞八人，花锦袍，五色绫裤，云冠，乌皮靴。（二）庆善乐，舞四人，紫绫袍，大袖，丝布裤，假髻。（三）破阵乐，舞四人，绯绫袍，锦衿褾，绯绫裤。（四）承天乐，舞四人，紫袍，进德冠并铜带。
清商	工人平巾帻，绯裤褶。	舞四人，碧轻纱衣裙襦，大袖，画云凤之状，漆鬟髻，饰以金铜杂花，状如雀钗，锦履，舞容闲婉，曲有姿态。
西凉	工人平巾帻，绯褶。	白舞一人，方舞四人。白舞今阙。方舞四人，假髻，玉支钗，紫丝布褶，白大口裤，五彩接袖，乌皮靴。
高丽	工人紫罗帽，饰以鸟羽，黄大袖，紫罗带，大口裤，赤皮靴，五色绦绳。	舞者四人，椎髻于后，以绛抹额，饰以金铛，二人黄裙襦，赤黄裤，极长其袖，乌皮靴，双双并立而舞。

① 新、旧《唐志》所载，略有出入，此据《旧唐志》。

续表

部伎	乐工	舞工
天竺	工人皂丝布头巾，白练襦，紫绫裤，绯帔架裟。	舞二人，辫发，朝霞架裟，行缠，碧麻鞋。
龟兹	工人皂丝布头巾，绯丝布袍，锦袖，绯布裤。	舞四人，红抹额，绯袄，白裤帑，乌皮靴。
安国	工人皂丝布头巾，锦褾领，紫袖裤。	舞二人，紫袄，白裤帑，赤皮靴。
疏勒	工人皂丝布头巾，白丝布裤锦襟褾。	舞二人，白锦袄袖，赤皮靴，赤皮带。
康国	工人皂丝布头巾，绯丝布袍，锦领。	舞二人，绯袄，锦领袖，绿绫裆裤，赤皮靴，白裤帑。舞急转如风，俗谓之胡旋。
高昌		舞人白袄锦袖，赤皮靴，赤皮带，红抹额。

由第一表观之，十部中仅清商伎有“秦琵琶”及琴瑟。而其他九部则皆有琵琶、觱篥、五弦三器。案仅言琵琶而不冠“秦”字即指龟兹琵琶也。觱篥，《乐府杂录》谓为“本龟兹国乐”。《通考·乐考二一》引陈旸《乐书》云：“隋唐之乐，虽有雅俗胡三者之别，实不离胡声也。”所谓俗乐与胡乐者，

实即一种。而俗乐虽分为九部（清商除外），除乐器及工伎服饰稍有不同外，全以龟兹琵琶为主。观第二表，惟清乐舞工着履，其他诸部舞工除天竺外，皆着皮靴。《隋书·礼仪志》云：“靴，胡履也。”自非中原旧物。至于袄、裤、椎髻等，必亦处处模仿西域人也。

十部伎在贞观初虽已完成，而自高宗以后，朝廷宴享仍多用九部。[①]意者此后之九部盖缺清商伎。元稹《代曲江老人百韵》云：“文物千官会，夷音九部陈。”夷音不包括中原旧乐，故与贞观前所奏者不同。然诸部伎，朝廷举行宴会时，常归并于坐立两部中。所谓坐部者即在堂上坐奏，立部在堂下立奏。《新唐志》谓两部之分始于玄宗。实则不然。案《唐志》云：“仪凤二年（679年）十一月六日，太常少卿韦万石奏曰：‘（略）立部伎内《破阵乐》五十二遍，修入雅乐只有两遍，名曰《七德》。’立部伎内《庆善乐》七遍，修入雅乐

① 《旧唐书·玄奘传》：“高宗在宫为文德太后追福，造慈恩寺及翻经院。内出大幡，敕九部乐及京城诸寺幡盖众伎，送玄奘及翻刻经像、诸高僧入住慈恩寺。”《高宗本纪》：“乾德元年正月七日，宴群臣，陈九部乐。”《玄宗本纪》：“天宝十四载春三月，宴群臣于勤政楼，奏九部乐。”《德宗本纪》：“贞元四年春正月甲寅地震，宴群臣于麟德殿，设九部乐。”又：“贞元十四年二月戊午，上御麟德殿，宴文武百寮，初奏《破阵乐》，遍奏九部乐。”《通考·乐考》：“后晋天福四年，（略）又奏宫悬，歌舞未全，请杂用九部雅乐，教坊法曲，从之。”

只有一遍，名曰《九功》。”然则高宗时固已有立部之名；有立部必亦有坐部矣。武后中宗之代，曾大增两部诸舞，寻以废寝。至玄宗时始确定其内容。

所谓十部伎及坐立部伎者，在开元以前，与雅乐同隶于太常。自武德后，虽置教坊于禁门内，而规模颇小。[1]历太宗、高宗两朝，至武则天如意元年（即天授三年，公元692年），改为云韶府。[2]中宗神龙年中，又恢复旧名。玄宗既好西域音乐，且洞晓声律，而承平日久，听歌阅舞，亦为社会风尚；于是开元二年（714年），设置教坊五所：内教坊在禁内蓬莱宫侧；外教坊西京两所，左教坊在光宅坊，右教坊在延政坊；东京两教坊俱在明义坊。命右骁卫将军范及为之使。自是离太常而独立。太常专典祭祀所用之雅乐，而所有诸部伎及散乐百戏等之俗乐，统归于教坊。[3]教坊遂成为俗乐之“乐府”。若寻常飨会，“先一日具奏坐立部伎乐名，御注其下，会日，先奏坐部伎，次奏立部伎，次奏蹀马，次奏散乐。”[4]坐立部乐名可考者如下：

---

① 《新唐书·百官志》。

② 《唐会要》卷三四。

③ 《通考·乐考》一九及崔令钦《教坊记》。

④ 《唐会要》卷三三。

坐部伎　（1）燕乐　（2）长寿乐　（3）天授乐

（4）鸟歌万岁乐　（5）龙池乐

（6）小破阵乐

立部伎　（1）安乐　（2）太平乐　（3）破阵乐

（4）庆善乐　（5）大定乐　（6）上元乐

（7）圣寿乐　（8）光圣乐

《通典·乐典》谓坐部伎“自《长寿曲》以下，皆用龟兹曲，惟《龙池乐》备用雅乐笙磬”。立部伎“白《安乐》以后，皆雷大鼓，杂以龟兹曲，声震百里，皆立奏之；惟《庆善曲》独用西凉乐，最为闲雅”。案除《庆善乐》独用西凉乐，燕乐杂有旧乐成分外，两部大体均以龟兹乐为本。至于《龙池乐》，《旧唐书》谓其无钟磬之音，是否纯系雅乐，亦成问题也。白居易《立部伎》诗：“堂上坐部笙歌清，堂下立部鼓笛鸣。”龟兹部鼓类最多，故立部伎“鼓笛鸣”而“声震百里”。坐部伎之龟兹曲，以琵琶为主，故谓之琵琶曲。“琵琶曲厥后盛流于时”。[①]

① 引用《宋史·乐志》语。

教坊中普通乐人，统谓之“音声人”，其数已近及二千员，[1]而下列三部尚不计焉：

（1）梨园“玄宗既知音律，又酷爱法曲，选坐部伎子弟三百，教于梨园。声有误者，帝必觉而正之，号‘皇帝梨园弟子’。”[2]

（2）宜春院“宫女数百亦为梨园弟子，居宜春北院。”[3]“妓女入宜春院，谓之‘内人’或‘前头人’，以常在上前也。”[4]

（3）小部“梨园法曲部更置小部音声三十余人。”[5]

以上三部称为“别教院”。无论教坊或别教院之乐人，概称为“国工”或“国乐”。此外尚有云韶院及掖庭诸伎（云韶院妓女谓之宫人）。《新唐志》云：“唐之盛时，凡乐人、音声人，太常杂户子弟，隶太常及鼓吹署，皆番上总号音声人，至数万人。”并非夸大之言也。

---

① 陈旸《乐书》。

② 《新唐志》。

③ 《新唐志》。

④ 《教坊记》。

⑤ 《新唐志》。

教坊自经玄宗整顿扩大，其影响所及，无论都城郡邑，几皆有西域之音。《唐书·舆服志》云："开元来，太常乐尚胡曲，贵人御馔尽贡胡食，士女皆衣胡服。"当时风气，不惟倾心胡曲，而胡食胡服，亦均在羡慕仿效之列。天宝十五载（756年），安禄山陷两京，玄宗幸蜀，教坊乐人多有散亡各地者。然其遗声余曲，因此更广传于民间。至德二年（757年），肃宗返京后，教坊虽不及开元之盛，而其规模仍如之。且此时之西域乐，早已普遍于四方，为士大夫燕居之暇，所不可须臾离者。元稹《法曲》诗云："女为胡服学胡妆，伎进胡音务胡乐。胡音胡骑与胡妆，五十年来竞纷泊。"王建《凉州行》："城头山鸡鸣角角，洛阳家家学胡乐。"其风靡一时，观此二诗可见。代宗大历十四年（779年）五月，诏罢梨园伶使及冗员三百余人，留者隶太常。[①]至宪宗元和十四年（819年），复置内教坊于延政里。[②]宣宗大中初，太常乐工五千余人，俗乐一千五百余人；而宣宗每宴臣僚，自制新曲，所教女伶犹有数千人。故终唐之世，历朝虽有治乱之不同，而教坊则始终保持其盛况。推其原因，当由于朝廷对乐人待遇之优渥：（甲）如有一技

① 《唐会要》卷三四。

② 《旧唐书·宪宗本纪》。《唐会要》卷三四作"徙内教坊于延政里"。

之特长，每可立致显官。（乙）视年限及成绩，可授正员官，至永贞元年（805年）九月，始废此制。[1]（丙）每奏乐或表演百戏，必厚予赏赐。（丁）乐人可自由受人雇用。基上数端，教坊得集各种俗乐之大成，而又由此以分散于各地。

中唐以后之乐人伶工，出身西域者，仍称胡儿或胡小儿。其姓名可考者，向达教授及桑原氏所论綦详，兹再简略介绍之：（甲）安氏，盖来自安国。玄宗时有安万善[2]，昭宗时有安辔新[3]，或皆与上述之安叱奴有关。（乙）康氏，盖来自康国。玄宗时有康老[4]，德宗时有康昆仑[5]，宣宗时有康遁。[6]（丙）曹氏，来自曹国之曹婆罗门及曹僧奴、曹妙达等已见前。唐代琵琶名手，尤多曹姓。贞元中有曹保，保子善

---

① 《旧唐书·宪宗本纪》。

② 李颀《听安万善吹觱篥歌》云："南山截竹为觱篥，此乐本自龟兹出；流传汉地曲转奇，凉州胡人为我吹。"

③ 长安舞胡，见《北梦琐言》一五。

④ 李白新乐府《上云乐》："金天之西，白日所没。（略）康老胡雏，生彼月窟。（略）老胡感旧德，东来进仙倡。（略）能胡歌。进汉酒。"案盖以其姓康而年老故有此名。

⑤ 《乐府杂录》琵琶条："贞元中康昆仑第一手。"

⑥ 《乐府杂录》俳优条。

才。[1]善才子纲[2]，俱以乐技著名。白居易有《代琵琶弟子谢女师曹供奉寄新调弄谱》诗，此曹供奉盖亦是曹纲一家。唐末又有曹触新，善弄《婆罗门舞》；武宗朝有俳优能手曹叔度，或亦曹国人也。[3]（丁）米氏，盖来自米国。[4]宪宗、穆宗两朝有名歌手米嘉荣，刘禹锡诗中称为“三朝供奉”，盖尝为供奉官。嘉荣之子米和，于懿宗时，亦以善琵琶闻名。太和初，教坊又有米禾稼、米万槌，并善弄《婆罗门舞》，《通考·乐考》归之于龟兹部，与曹婆罗门并称。（戊）石氏，盖来自石国。[5]大中初，教坊有石宝山，善婆罗门；[6]懿宗、僖宗朝，教

① 曹保祖孙三人并见《乐府杂录》。李绅《悲善才》诗：“紫髯供奉前屈膝，尽弹妙曲当春日。”所谓供奉者，盖以其曾充宫廷之供奉官。案：“善才”一词乃专谓弹琵琶之高手。元稹《琵琶歌》“铁山已近曹穆间”。自注：“二善才姓。”白居易《琵琶行序》：“尝学琵琶于曹穆二善才。”曹善才当即曹保之子，穆善才必亦以此技见长。其姓虽定，而名非私名也。

② 白居易《听曹刚弹琵琶兼示重莲诗》云：“拨拨弦弦意不同，胡啼番语两玲珑。”薛逢亦有《听曹刚弹琵琶》诗。此曹刚即曹纲。

③ 曹触新、曹叔度，见《乐府杂录》。

④ 米国即《大唐西域记》卷一之弭秣贺国（Maymurgh），在中亚细亚撒马尔罕之东。其人来往中原者，以米为姓，南宋郑名世《古今姓氏书辨正》卷二四：“西域米国胡人，入中国者，因以为姓。（略）有供奉歌者米嘉荣，其子和郎。”

⑤ 《新唐书·西域传》云：“石或曰柘支，曰柘枝，曰赭时。”即今中亚细亚之塔什干（Tash kent），在撒马尔罕之东北。

⑥ 石宝山，见《乐府杂录》。

坊又有石野猪。[①]（己）史氏，大中以来，汴州有史敬约，以善觱篥著名，盖出身史国。[②]（庚）景龙中，中宗宴群臣于两仪殿，胡人袜子何懿唱合生，歌词浅秽。[③]何懿盖出身何国。鲁案：此外尚有玄宗时之奏箜篌名手李凭，[④]梨园弟子中之吹笛名手胡雏，[⑤]疑亦为西域人，惟今日尚不能详其出处。以上所举诸人，其声名皆卓著于当时，而其不知名者，尚不知凡几。[⑥]可见有唐一代之音乐界，以西域人为最露头角。而西域乐亦赖彼辈之推动而流传更为普遍。

西域音乐遍于各地，诸州郡及军营中亦皆有伎乐之设。而昭宗末年，京都著名倡伎又皆为有势力之藩镇所有。[⑦]故五代诸国各据一方，虽经五十年之纷乱，而其音乐犹能继承前朝之盛。惟当时教坊之情形，因限于文献，不能尽知其详也。案教坊不见于《五代史·职官志》。然《五代会要》卷七杂录条有云："后唐长兴三年（931年）九月，宴于长春殿，教坊

---

① 朱揆《谐噱录》。

② 史敬约，见《乐府杂录》。

③ 《唐书·武平一传》。

④ 李贺《李凭箜篌引》："江娥啼竹素女怨，李凭中国弹箜篌。"李凭似为西域人。杨巨源《听李凭弹箜篌》："花咽娇莺玉漱泉，名高半在御筵前。"

⑤ 李肇《国史补》。参看第94页注④李白《上云乐》。

⑥ 如开元中吹笛名手李謩，其业师即龟兹人。见《逸史》。

⑦ 《北梦琐言》。

进新曲，赐名《长兴乐》。”[1]卷二四诸使杂录条又有“教坊使”。知《唐余录》所云“后唐并用唐乐，无所变更”者，[2]必亦包括俗乐而言也。后晋之世，仍有教坊。《五代会要》卷七雅乐条云：“晋天福四年（939年）十二月，（中略）其月又奏宫悬，歌舞未全，请杂用九部雅乐，教坊法曲，从之。”所谓九部者，此时已认为雅乐。同卷载开运三年（946年）八月，中书令陶穀奏议有“臣前任太常少卿，伏见本寺见管教坊二舞”之语，则后晋教坊似又归隶于太常矣。然五代时期之音乐，尤以南唐及前后蜀为最盛。南唐据金陵，设立乐部以蓄倡优。马令《南唐书·王感化传》：“王感化善讴歌，声韵悠扬，清振林木，系乐部为歌板色。”又《申高渐传》：“昇元（前主李昪年号）初，案籍编括，高渐以善音律为部长。”所谓乐部者与教坊异名而同实也。中主李璟既擅文词；而后主李煜继之，兼精音律，尝自造《念家山》及《振金铃》曲破。其后昭惠工于琵琶，《霓裳羽衣》曲谱曾经其订易。时又有乐工曹者素亦善琵琶，向达教授疑其与上述之曹保系一家，而源出曹国者。前后蜀建国川中，因优良之地理环境，而乐人文士萃集于此。又加后主王衍之提倡音乐，故其时士大夫阶级之寄

① 亦见《续唐书·音乐志》。

② 《全五代诗》引。

情歌舞，颇与开元天宝相似。《北梦琐言》尝记昭宗末年，有曾为相国令狐楚见赏之琵琶工石潨者，入蜀后，不隶乐籍，而游食诸大官家，皆以宾客待之。蜀中贵族社会之好尚，由此亦可窥见。此石潨疑与上述之石宝山同族，亦系源出石国者也。

宋教坊隶于宣徽院。陈旸《乐书》谓宋初循用唐制，分教坊为四部。然此四部之名称及内容，则未详及；而征之唐代教坊，亦缺乏此种记载。今试细绎《宋史·乐志》，所谓四部者，大约即指坐部、法曲部、鼓笛部[①]、龟兹部而言也。至于教坊之乐工，太宗乾德元年（963年），平荆南得三十二人；破蜀得一百三十人；开宝八年（975年），平江南（南唐）得二十六人；太宗太平兴国四年（979年），平太原（北汉）得十九人；余藩臣所贡者八十三人，又太宗藩邸有七十一人：由是四方之精工能手，大集于教坊矣。

教坊有小儿舞队及女弟子舞队，其名各十。小儿舞队凡七十二人：（1）柘枝队，（2）剑器队，（3）婆罗门队，（4）醉翻腾队（案即醉胡腾队），（5）浑臣万岁乐队，（6）儿童感圣乐队，（7）玉兔浑脱队，（8）异域朝天队，（9）儿童解红队，（10）射雕回鹘队。女弟子

① 鼓笛部疑即立部。前引白居易《立部伎诗》云："堂下立部鼓笛鸣。"

队凡一百五十三人：（1）菩萨蛮队，（2）感化乐队，（3）抛球乐队，（4）佳人剪牡丹队，（5）拂霓裳队，（6）采莲队，（7）凤迎乐队，（8）菩萨献香花队，（9）彩云仙队，（10）打球乐队。以上二十队，除儿童队之感圣乐与女弟子队之感化乐、剪牡丹、凤迎乐、献香花等，尚未探悉其来源外，余皆袭用唐五代之舞曲。其舞大概亦各以唐五代所流传者为基础，而予以变易。各队之装饰因队名而异。如玉兔浑脱队戴玉兔冠，献香花队执香花盘，皆与其命名之意义相符。而菩萨蛮队戴卷云冠，柘枝队戴胡帽，亦各有其来历焉。

崇宁四年（1105年），大司乐刘昺造新乐，徽宗赐名大晟；于是专置大晟府以典之。大观二年（1108年），刘诜上徵声，诏令人晟府及教坊，依谱按习，乃增徵角二调。四年，刘昺编修乐书，以古律古器附会之。《宋志》云："说者谓蔡京使昺为缘饰之，以布告天下。"实则仍承袭燕乐之旧也。政和三年（1113年），大晟燕乐拨归教坊，所有肄习之人亦皆隶之。高宗偏安江南后，省教坊。绍兴十四年（1144年），复置之。绍兴末年，复省。自孝宗隆兴二年（1164年）以后，凡朝庭宴会，皆临时点集市人；迄宋之亡，未再设立。综观燕乐自传入以来，风靡于都城，浸沉于民间，自隋唐以迄南宋，各代迭有演变，而其发展，直至元明未尝中辍，洎乎有清末季，始逐渐衰歇焉。

二 大曲之渊源及其曲名

前述龟兹乐工苏祇婆既随突厥皇后入周，则以龟兹琵琶调为主之乐曲，必始于北周。至郑译阐论其乐律后，隋唐尤为盛行耳。杜氏《通典》云："自周隋以来，管弦杂曲将数百曲，多用西凉乐；鼓舞曲多用龟兹乐。其曲度皆时俗所知也。"[①]案西凉乐本源于龟兹乐，则所谓管弦与鼓舞诸曲，固皆可谓为龟兹乐矣。兹言"自周隋以来"，即谓自北周起，音乐始转入此新阶段。其转变之关键，即苏祇婆琵琶调之传入也。杜氏又言"其曲度皆时俗所知"，可见流行当时，已极普遍。如更以《隋志》"西凉龟兹杂伎等，其曲数既多，故得隶于众调，调各别曲"之语证之，则此种乐曲之音乐系统，且早已井然有条矣。今审其来源，有自西域传入者，有根据西域乐而自造者。然无论其传自西域抑或出于自造，开元以后即多被教坊及内庭所搜集。开元二年（714年），宫内设内教坊，

① 卷一四六。《新唐志》："周隋管弦杂曲数百，皆西凉乐也；鼓舞曲皆龟兹乐也。"语气较《通典》尤为确凿。

两京各设外教坊两所，将流行之俗乐举数而容纳之，故所有俗乐乐曲必亦皆择其尤者，囊括无遗也。乐曲既入于教坊，而又由此以播散于各地。其播散之广泛，盖由于下列诸事之影响。

（一）朝廷宴会，由教坊倡伎歌舞以助兴。

（二）府司及皇室贵族游宴集会，亦可招雇教坊倡伎，以歌舞助兴。

（1）《唐会要》三三："宝历二年九月，京兆府奏：伏以府司每年重阳、上巳两度宴游，及大臣出领藩镇，皆须求雇教坊音声，以申宴饯。"

（2）杜甫《江南逢李龟年》："岐王宅里寻常见，崔九堂前几度闻。正是江南好风景，落花时节又逢君。"案李龟年名籍梨园，而亦参与岐王崔九之堂会。

（三）人民团体之集会，亦可招致教坊伎乐。

（1）进士团曲江宴集，例牒教坊派倡伎侑酒。

孙棨《北里志序》："京中饮妓，籍属教坊。朝士宴集，须假诸曹牒行，然后能致；惟新进士设宴，便可牒追。"

（2）孟郊《教坊歌儿》诗："十岁小小儿，能歌得朝天。六十孤老人，能诗独临川。去年西京寺，众伶集讲筵。

能嘶《竹枝词》，供养绳床禅。”

（四）教坊乐伎可私自侍人。

（1）白居易《琵琶行》：“十三学得琵琶成，名属教坊第一部。（中略）弟走从军阿姨死，暮去朝来颜色故。门前冷落鞍马稀，老大嫁作商人妇。”

（2）又《江南喜逢萧九彻因话长安旧游戏赠五十韵》：“师子寻前曲，声儿出内坊。”案内坊原为内侍省六局之一，白氏盖泛指教坊或内廷而言。

（五）大臣出领藩镇，皆携教坊乐伎。

《唐会要》宝历二年（826 年）九月京兆府奏议一则，见前。

（六）教坊音声人常借故至各官府售艺求乞。

（1）《唐会要》三四：“大中六年十二月，右巡使卢藩等奏，准四年八月宣约，教坊音声人，于新授观察使处求乞，自今以后，许司府州县捉获。”

（2）朱揆《谐噱录》“浣溪沙孔条”：“唐宰相孔纬尝拜官，教坊伶人继至求利市。有石野猪独行先到。有所赐，乃谓曰：‘宅中甚阙，不得厚致。若见诸野猪，慎勿言也。’”

（七）教坊倡伎于业余之暇或年老退休，则以传习歌舞为事。

（1）王建《温泉宫行》：“梨园弟子偷曲谱，头白人间传歌舞。”

（2）杨巨源《听李凭弹箜篌》：“汉王欲助人间乐，从遣新声降九天。”案汉王指玄宗言。

（3）刘禹锡《伤秦姝行序》：“河南房开士前为虞部郎中，为余曰：我得善筝人于长安怀远里。其后，开士为赤县牧容州，求‘国工’而诲之。”案“国工”即教坊或其别教院之音声人，故诗中有云：“蜀弦铮摐指如玉，皇帝弟子韦家曲。”

（4）吴融《李周弹筝歌》：“年将六十艺转精，自写梨园新曲声。”（淮南韦太尉席上赠）

（八）安史之乱，两京沦陷，教坊倡伎多有流徙民间者。

（1）严维《相里宅听澄上人吹小管》：“秦僧吹竹闭秋城，早在梨园称主情。今日襄阳山太守，坐中流泪听商声。”

（2）戎昱八月十五日：“年少逢胡乱，时平似梦中。梨园几人在？应是涕无穷。”

（3）白居易梨园弟子：“白头垂泪话梨园，五十年前雨露恩。莫问华清今日事，满山红叶锁千门。”又《江南逢天宝乐叟》：“白头乐叟泣且言，禄山未乱入梨园。能弹琵琶奏法曲，多在华清随至尊。”

（4）温庭筠《弹筝人》：“天宝年中事玉皇，曾将新曲教宁王。”

（九）功臣勋将，朝廷赐乐伎。乐伎盖出自教坊或内宫。

（1）《旧唐书·德宗本纪》：“兴元元年七月辛卯，御丹凤楼，大赦天下。赐李晟永兴里第女乐八人。甲戌，命宰臣诸将送晟入新赐第，教坊乐，京兆府供帐食馔，鼓吹导从，京城以为荣观。”

（2）《唐语林》卷六：“德宗复京师，赐勋臣宅第、妓乐，李全为首，浑侍中次之。”

除教坊及内宫外，权贵及各州郡皆有伎乐。

（一）诸王府及各藩邸皆有伎乐。

（二）士大夫之家皆有歌妓乐童。

（1）《唐会要》三四：“天宝十载九月二日敕：五品以上正员清官诸道节度使及太守等，并听家蓄丝竹，以展欢娱。行乐盛时，覃及中外。”

（2）又：“神龙二年九月敕：三品以上，听有女乐一部，五品以上，女乐不过三人，皆不得有钟磬乐师。”

（3）刘禹锡与《歌童田顺郎诗》：“天下能歌御史娘，花前月底奉君王。九重深处无人见，分付新声与顺郎。”

（三）各州郡皆有官伎以侑酒筵。

《唐会要》三四：“宝历二年九月，京兆府奏：伏见诸道方镇下至州县军镇，皆置音声，以为欢娱。岂惟夸盛夷戎，实因接待宾旅。”

（四）军中有营籍妓。

《太平广记》卷二五二引《抒情录》：“唐尚书李曜罢歙州，与吴圆交代。有佐酒录事名媚心，聪明敏慧，李颇留意，而已纳营籍妓韶光，托于替人，令存恤之。”

此数种乐伎，虽不属于教坊，而所歌奏者则皆为教坊传出之乐曲。李白《春日陪杨江宁及诸官宴北湖感古作》：“新弦采梨园，古舞娇吴歙。”于鹄《赠碧玉》诗：“霓裳禁曲无人解，暗问梨园弟子家。”由此二诗，已可见当时教坊曲受人欢迎之情形。此外，尚有以歌舞为自由职业者，亦间接传布教坊曲。教坊曲经辗转传播，因大盛于时矣。

记载教坊之情形及乐曲者，当以崔令钦《教坊记》为最详。至令钦之年代，王静安氏根据《唐书·宰相世系表》，谓为玄宗时人。[1]愚案刘长卿有《寄万州崔使君令钦》诗，又有《送崔使君赴寿州》诗。[2]知两人同时，大概即玄肃间人，与王氏所推测者略同。但上举刘氏第二首诗有“仲华遇主年尤少，公瑾论功位已酬”之语，其齿似较长卿为幼。《教坊记》之内容，大都以开元时之教坊为蓝本。而所著录之乐曲，即教坊所收自周隋以来流行乐曲之一部分。其总数仅得三百二十四曲，绝不能赅括教坊曲之全，实毫无疑问；且有若干曲名，似崔氏以后，他人代为釐订或增补者。[3]今考三百二十四曲中，注明为大曲者凡四十有六：

（1）踏金莲	（2）绿腰	（3）凉州	（4）薄媚
（5）贺圣乐	（6）伊州	（7）甘州	（8）泛龙舟
（9）采桑	（10）千秋乐	（11）霓裳	（12）玉树后庭花
（13）伴侣	（14）雨霖铃	（15）柘枝	（16）胡僧破

---

① 崔令钦为隋恒农太守宣度之五世孙。

② 《送崔使君赴寿州诗》虽未注明名字，而同称崔使君，盖即送令钦之作也。

③ 所谓釐订者，即书中已著录之乐曲，其名称后有因故改易者，后人追改之。所谓增补者，即令钦以后，教坊所用之名曲，如大历年中，洛阳盛行之《杨柳枝》（见《乐府杂录》），大中初，乐工所造之《菩萨蛮》（见《杜阳杂编》），《教坊记》中虽不及著录，而以其皆入于教坊，故后人追补之。

（17）平翻　（18）相驰逼　（19）吕太后　（20）突厥三台

（21）大宝　（22）一斗盐　（23）羊头神　（24）大姊

（25）舞大姊　（26）急月记　（27）断弓弦　（28）碧宵吟

（29）穿心蛮　（30）罗步底　（31）回波乐　（32）千春乐

（33）龟兹乐　（34）醉浑脱　（35）映山鸡　（36）昊破

（37）四会子　（38）安公子　（39）舞春风　（40）迎春风

（41）看江波　（42）寒雁子　（43）又中风　（44）玩中秋

（45）迎仙客　（46）同心结

除《教坊记》所著录者外，唐代大曲之可考者尚有十余曲：

（47）熙州　（48）石州　（49）渭州[①]　（50）水调

（51）大和　（52）陆州　（53）破阵乐　（54）庆善乐

（55）上元舞（56）继天诞圣乐[②]（57）团乱旋（58）春莺啭

---

① 宋洪迈《容斋随笔》一四："今世所传大曲，皆出于唐，而以州名者五：伊、凉、熙、石、渭也。"

② 王静安《唐宋大曲考》："《旧唐书·音乐志》谓立部伎内《破阵乐》五十二遍，《庆善乐》七遍，《上元舞》二十九遍；又贞元中，昭义节度使王虔休献《继天诞圣乐》凡二十五遍（《唐会要》三三），以宋人之名名之，谓之非大曲不可也。又如《乐府诗集》所载《水调歌》五遍，入破六遍；《大和》五遍；《陆州歌》三遍，排遍四遍；其遍数之多与《伊州》《梁州》无异，则亦唐之大曲也。"

（59）苏合香[①]（60）南诏奉圣乐[②]

然据《唐六典注》卷十四“协律郎条”所载，十部伎中燕乐、西凉、龟兹、安国、疏勒、高昌诸部，各有大曲，惜曲名俱付缺如，是为憾耳。程大昌《演繁露》卷七云：“乐府所传大曲，惟《凉州》最先出。”《凉州》系开元六年（718年），西凉都督郭知运所进，则大曲似即始于开元年间。至各曲之渊源如何，吾人将于他章中分别详论之。今如综言其概，则最初皆由西域传来，而继有仿造者也。其由西域传来者，尚可由曲名之地方色彩上见之。如“柘枝”来自石国，石国或曰柘支，曰柘折，曰赭时，即今中亚细亚之塔什干（Tashkent）；[③]“龟兹乐”来自龟兹，龟兹即今新疆库车县，已见上文。此二例所示传入之痕迹，至为显明，姑无论矣。而《伊州》《甘州》《凉州》等曲，蔡宽夫《诗话》亦谓其皆自龟兹出。[④]盖当时西部诸州皆为中西交通之枢纽，而对西域音乐言，乃“近水楼台”，得之较早，故出于各州或经由各州转献及传入之

① 源光圀《大日本史·礼乐志》谓所录诸曲多传自唐代，而标明大曲者有《破阵乐》《团乱旋》《春莺啭》《苏合香》四曲。

② 《新唐书·南蛮列传·骠国传》。

③ 向达先生《柘枝舞小考》。（《唐代长安与西域文明》附录）

④ 王灼《碧鸡漫志》卷三。

乐曲，多以州名名之。《唐志》所谓“天宝乐曲皆以边地名，若《凉州》《伊州》《甘州》之类”，其得名之由来，皆在于此。凉州即今甘肃武威县，甘州即今张掖县，伊州即今新疆哈密县；他如熙州即今甘肃狄道县（临洮），渭州即今陇西县，均为当时西部边地之名也。复次，“醉浑脱”当即《浑脱》舞之一种。《浑脱》即“泼寒胡戏”。此种泼寒胡戏，据向达教授之考证，谓其源出于伊兰，传至印度以及龟兹，中原之泼寒胡戏，当又由龟兹传来也。[①]“霓裳”之前身即“婆罗门”，乃开元中河西节度使杨敬述所献者。《通志·乐略》一谓此曲属于龟兹部。又“绿腰”亦名“六幺”，姜白石《大乐议》亦谓为胡曲。[②]是初期之大曲多半传自西域，可以决矣。白石又云“凡有催衮者皆为胡曲”，而由次节中，吾人论大曲组织之文以观之，大曲之所以为大曲者，即以其具备催衮等之音乐结构；然则大曲之皆为胡曲或属于胡曲性质，亦可以决矣。

宋代大曲，据《容斋随笔》所言，皆出于唐。然唐宋两代之大曲，尚有烟消尘灭而不能征考者，或其曲名尚可见于典籍，而亦无从确知其为大曲者，故洪氏之言，今日欲予以印证，颇为困难。案《宋史·乐志》，宋教坊所奏之十八调

① 《唐代长安与西域文明》。

② 《宋史·乐志》。

四十大曲中，[1]有出于唐之大曲者，亦有出于唐之杂曲者。其曲名，除见于上文者以及因隶属之宫调不同而重复者外，实得二十五曲：

（61）瀛府　（62）齐天乐　（63）万年欢　（64）剑器
（65）大圣乐　（66）保金枝　（67）延寿乐　（68）中和乐
（69）清平乐　（70）大明乐　（71）降圣乐　（72）新水调
（73）采莲　（74）胡渭州　（75）嘉庆乐　（76）君臣相遇乐
（77）庆云乐　（78）贺皇恩　（79）泛清波　（80）道人欢
（81）罢金钲　（82）彩云归　（83）千春乐　（84）长寿仙
（85）满宫春

此外，宋大曲之可考者仍有二十余曲：

（86）平戎破阵乐　（87）平晋普天乐
（88）大宋朝欢乐　（89）宇宙荷皇恩
（90）垂衣定八方　（91）甘露降龙庭
（92）金枝玉叶春　（93）大惠帝恩宽

① 《宋史·乐志》一七原作“十八调四十六曲”，今从王静安《唐宋大曲考》改作“四十大曲”。

（94）大定寰中乐　（95）惠化乐尧风
（96）万国朝天乐　（97）嘉禾生九穗
（98）文兴礼乐欢　（99）齐天长寿乐
（100）君臣宴会乐　（101）一斛夜明珠
（102）降圣万年春　（103）金觞祝寿春①
（104）普天献寿　（105）大定乐
（106）喜新春②　（107）太清舞
（108）花舞　（109）渔父舞③
（110）降黄龙④　（111）惜奴娇⑤
（112）清和乐⑥　（113）琢木儿⑦

---

① 《宋史·乐志》，宋太宗所制十八大曲。

② 《宋史·乐志》云韶部奏大曲十三，其中十曲与教坊所奏者同，惟《普天献寿》、《大定乐》与《喜新春》为教坊所无。

③ 《彊村丛书》史浩《鄮峰真隐大曲》二卷（由《鄮峰真隐漫录》中辑出），内有《采莲舞》《柘枝舞》《太清舞》《花舞》《剑舞》《渔父舞》诸曲。

④ 张炎《词源》云："如《六幺》，如《降黄龙》皆大曲。"

⑤ 洪迈《夷坚志》乙志卷一二："绍兴九年，张渊道侍郎家居无锡南禅寺。其女请大仙，忽书曰：九华天仙降。问为谁，曰世人所谓巫山神女者是也。赋《惜奴娇》大曲一篇，凡九曲。"请大仙事固荒诞不足信，然当时必有《惜奴娇》大曲。

⑥ 《唐宋大曲考》引陈振孙《书录解题》卷二一及吴处厚《青厢杂记》卷一，以为《清和乐》遍数至多，亦大曲也。

⑦ 董解元《西厢》有黄钟商《间花琢木儿》八阕，似具大曲规模。

据《宋史·乐志》一七所载，钧容直（军乐）凡奏十六调三十六大曲，曲名失载。然陈旸《乐书》卷一八八云：“圣朝循用唐制，分教坊为四部，自合四部为一，故乐工不能遍习，第以大曲四十为限。”则其他大曲亦不为教坊所常用矣。

大曲之为梨园法部所演奏者，谓之“法曲”。如截去大曲之前段而专用其后段，此后段以“入破”为主体，谓之“曲破”。法曲、曲破二者，虽与大曲异名，而实即大曲也，故分别附论于此。

燕乐中之法曲，或有以其为古代之遗音者。白居易《法曲歌》云：“乃知法曲本华风，苟能审音与政通。”自注：“法曲虽似失雅音，盖诸夏之声也，故历朝行焉。”然籀绎歌意，白氏盖以其声调清和，而兼欲借此有所讽刺，非果有史实之证据也。至清代凌廷堪氏乃指为出于清商三调。《燕乐考原》卷一：“天宝之法曲即清商南曲。”又卷三：“法曲部但有道调、小石两调，《梦溪笔谈》云：清调、平调、侧调，唯道调、小石法曲用之，盖古清乐三调之遗也。”今综核其说，凡有不可通者五端焉。其一，唐代之十部伎中原有清商乐，如因清乐而承用之，何必改名法曲？其二，据《通典·乐典》及新旧《唐志》所载，清商乐曲至开元中即消亡殆尽，虽有流传于民间者，而亦不为朝廷郊庙所用，以向重古仪之朝廷郊庙且不用之，梨园中最称优秀而最趋时尚之法部，岂肯用之？其三，凌氏谓法曲但有道调、小石二调，此说误解《梦溪笔谈》之记述，姑置勿论。顾既言有道调、小石，而又谓其即为清商，亦有自相矛盾之弊。盖道调、小石，自是当时燕乐中之宫调名称，而与清商非同一系统也。其四，《笔谈》卷五："古乐有三调声，谓清调、平调、侧调也。王建诗云：侧商调里唱《伊州》是也。今乐部中有三调乐品皆短小，其声噍杀，唯道调、小石法曲用之。虽谓之三调乐，皆不复辨清、平、侧声，但比他乐特为烦数耳。"案所谓"道调、小石法曲"，盖指道调与小石调之法曲而言；而所谓"用之"者，疑即指"三调乐品"也。三调乐品"皆短小，其声噍杀"，则必为乐器无疑。[①]用此乐器，岂可遽断法曲即清商三调乎？且洪氏明言："虽谓之三调乐，皆不复辨清、平、侧声"，如果出于清商，不辨三调，尚可称为乐曲乎？其五，《旧唐志》云"初隋有法曲，其音清而近雅。"案清商兴于西汉，如法曲即清商，岂得云"初隋有法曲"乎？且所谓"近雅"者，言其与雅音相似，而亦非

① "今乐部中有三调乐品，皆短小"，亦可读作："今乐部中有三调，乐品皆短小。"案三调乐品盖即隋何妥所制之"平清瑟"（瑟调即侧调）。《通考·乐考》一〇："平清瑟，隋何妥好音律，留意管弦，文帝令定钟律，于是有平清瑟之调声。"

谓其即雅音也。由上列诸事观之，法曲之非清商，此问题可以定谳矣。

然则法曲之为物，究如何发生乎？曰：法曲之名不见于开元之前，张炎《词源》："如《望瀛》，如《献仙音》乃法曲，其源自唐来。"郭茂倩《乐府诗集》卷九六："法曲起于唐，谓之法部。"其说甚谛。愚意法部者盖承继初唐及其以前之法乐，而又增加若干种清商乐所用之乐器而成。此种法乐亦称清乐（非清商乐），[①]系西域僧人由天竺传入者。所用之乐曲即称为佛曲或清曲。其传入之情形，不可得而详考。惟《南齐书·竟陵王子良传》云："建元五年，〔子良〕招致名僧，讲习佛法，造经呗新声，道俗之盛，江左未有也。"其所造之梵呗新声，是否配乐，文中未显明说及。《通典》卷一四一："梁武帝既笃敬佛法，又制《善哉》《大乐》《大劝》《天道》《仙道》《神王》《龙王》《灭过恶》《除爱水》《断苦轮》等十曲，名为正乐，皆述佛法。又有'法乐'童子，依歌梵呗，设无遮大会则为之。"法乐童子依歌梵呗，盖即依梵呗声调而歌武帝之曲也。然据向达教授之考证，武帝所作十曲属乐府中之鼓吹曲，与隋唐之佛曲不同。其所著《论

① 毛奇龄《西河诗话》："佛曲，在隋唐有之，不始金元。（中略）今吴中佛寺，尤能作梵乐，每唱佛曲，以笙笛逐之，名曰清乐，即其遗意。"

唐代之佛曲》[①]一文曾云："佛曲者，源出龟兹部，尤其是龟兹乐人苏祇婆所传来的琵琶七调为佛曲的近祖。而苏祇婆琵琶七调又为印度北宗音乐的支与流裔，所以佛曲的远祖实是印度北宗音乐。"此种佛曲即法乐中之乐曲，然并不限于作法事时始得演奏之。隋炀帝所定九部伎中之西凉乐有"于阗佛曲"，[②]《唐会要》卷三三所载太乐署供奉曲中亦有沙陀调"龟兹佛曲"（天宝十三载改名《金华洞真》）。由此又可见佛曲虽渊源于天竺，而中原当亦有间接由西域各地传来者。向达教授于《唐代俗讲考》[③]中又云：

> 按南卓《羯鼓录》有诸佛曲调之名。陈旸《乐书》并特著佛曲一部，凡收娑陀调八曲，乞食调九曲，越调二曲，双调一曲，商调二曲，徵调一曲，羽调四曲，般涉调一曲，移风调一曲。陈氏所著录者与《羯鼓录》之诸佛曲调以及食曲名目多有同者，是所谓佛曲乃属燕乐系统之一种乐曲。

案《羯鼓录》与《乐书》中所著录之佛曲，当皆为最著名于时

---

① 文载《小说月报》二〇卷一〇号。

② 于阗即今新疆于阗县。

③ 文载《北京大学国学季刊》六卷三期。

者，而两书中之乐曲未标明佛曲而实为佛曲者，为数仍多，俟日后另著专文详论之。又案《通考·乐考》一二："唐贞元中，五印度种落有骠国，王子献乐凡十二曲，皆演释氏经呗，吹蠡击鼓，或歌且舞，缨络四垂，珠玑粲发，周流万变，烂然可观。"又段安节《乐府杂录》"文溆子"条云："长庆中，俗讲僧文溆善吟经，其声宛畅，感动里人。乐工黄米饭依其念四声观世音菩萨，乃撰此曲。"[①]凡此类乐曲，统可称为佛曲也。

此种西域僧人传来之佛曲，其属于燕乐系统，《隋书·万宝常传》所记故事一则，亦可作为旁证。传云：

> 宝常奉昭，遂造诸乐器。其声率下郑译调二律。（中略）苏威因诘宝常所为，何所传受。有一沙门谓宝常曰："上雅好符瑞，有言徵祥者，上皆悦之。先生当言就胡僧受学，云是佛家菩萨所传音律，则上必悦，先生所为可以行矣。"宝常然之，遂如其言以答威。威怒曰："胡僧所传乃是四夷之乐，非中国所宜行也。"

① 文溆亦作文序。又见《卢氏杂说》，但所记与杂录稍有分歧之处，详见《唐代俗讲考》。

所谓四夷乐者，吾人已于上文中言之，即以西域乐为主，亦即当时流行之燕乐也。至于开元中之梨园法部系承继法乐佛曲而设者，凡有三事可以证明焉。（一）法部之所以名法部者，必有其来历。推溯厥源，法部应解为采用法乐之部伎。而法乐则为僧尼诵经唱偈或作法事时所用乐舞之通称。（二）就法部演奏法曲时所用之乐器言之，《新唐志》所载者有铙、钹、钟、磬、幢箫、琵琶等。其中铙、钹两种俱为佛家法乐所用。《通考·乐考》七《胡部》：“铙，浮屠氏所用浮沤，器小而声清，世俗谓之铙。”又：“唐之燕乐法曲有铜钹相和之乐，今浮屠氏清曲用之，盖出于夷音也。”唐文宗时，冯定采开元旧乐，制《云韶法曲》。其器有玉磬、琴、瑟、筑、箫、篪、籥、跋膝、笙、竽等。宋教坊法曲部，乐用琵琶、箜篌、五弦、筝、笙、觱篥、方响、拍板等。今如以此与十部伎中之天竺伎比较，多钟、磬、笙、筑等旧乐器，而缺鼓类，故其音“清而近雅”也。（三）法曲中有最著名之舞曲曰《霓裳羽衣》。此曲之前身名《婆罗门》，而王建《霓裳辞》又云：“中管五弦初半曲，遥教合上隔帘听。一声声向天头落，效得仙人夜唱经。”足证其原为佛曲也。

顾或有谓法曲出于道曲者，征之史实，其说颇有不妥。

案《新唐志》云："高宗自以李氏老子之后也，于是命乐工制道调。"此道调应为道曲之滥觞。然在当时燕乐氛围笼罩下之音乐界，乐工所造之道调盖即采取法乐而成，而非另创乐律与乐器也。《新唐志》又云："帝（玄宗）方寝喜神仙之事，诏道士司马承祯制《玄真道曲》，茅山道士李会元制《大罗天曲》，工部侍郎贺知章制《紫清上圣道曲》。太清宫成，太常卿韦绍制《景云》《九真》《紫极》《小长寿》《承天》《顺天乐》六曲。又制商调《君臣相遇乐》曲。"其中《景云》《九真》《承天》《顺天》《君臣相遇乐》等，《唐会要》三三皆列之于沙陀调中。《会要》又云：

> 林钟宫，时号道调。道曲：《垂拱乐》《万国欢》《九仙》《步虚》《飞仙》《景云》《钦明引》《玉京》《宝轮光》《曜日光》《紫云腾》《山刚》改为《神仙》，《急火凤》改为《舞鹤盐》。

其中《九仙》、《钦明引》（原名《舍佛儿》胡歌）、《曜日光》（原名《封禅》）、《紫云腾》（原名《色光俱腾》）并见于沙陀调中，可见凡此种道曲皆属于燕乐系统，且皆脱胎于法乐也。观夫《九仙》道曲，《羯鼓录》归之于诸佛舞曲中，而诸佛舞曲中又有御制之《三元道曲》，知吾人提出道曲出于法乐之说，自有其成立之理由。然则说者所以谓法曲源于道曲者，盖不知两者之关系也。又道调与法曲时常连用，如白居易《法曲歌》注云："天宝十三载，始诏诸道调法曲与胡部新声合作。"所谓道调法曲者即道曲与法曲，而说者往往读为"道调的法曲"，遂以法曲出于道曲。综言之，谓法曲出于道曲，虽不得指为完全错误，究不如溯其源于法乐之为愈也。

惟上列之佛曲及出于法乐之道曲，均不得径谓之法曲。法曲实起于开元之法部。《新唐志》云"初隋有法曲"，盖谓后日之法曲中有隋时之曲调，而此种曲调非在隋时即具备法曲之组织也。然法部所演奏之曲，亦非全可称为法曲。如《新唐志》云："帝幸骊山，杨贵妃生日，命小部张乐长生殿，奏新曲，未有名，会南方进荔枝，因名曰《荔枝香》。"此《荔枝香》虽为法部中之小部所演奏，而亦无称为法曲者。今案法曲者应专指法部所用之大曲而言。唐代之《霓裳羽衣》为大曲亦为法曲。白居易《霓裳羽衣歌》自注："凡法曲之初，众乐不齐，惟金石丝竹以次发声。霓裳序初亦复如此。"《新唐志》亦谓法曲："其声金石丝竹以次作。”任二北《南宋词之音谱拍眼考》云：“所谓金石丝竹以次作一层，法曲与大曲二者必然相同。”[①]宋张炎《词源》谓大曲之“片数与法曲相上下”；又云：“法曲之拍与大曲相上下，每片不同。”因知法曲与大曲之组织大同而小异。至其异点，则在乐器稍有出入，而节奏微有不同。（甲）张炎《词源》云：“若曰法曲则以倍四头管品之（原注：即笔篥也），其声清越；大曲则以倍六头管品之，其声流美，即歌者所谓曲破。”（乙）大曲有羯鼓襄鼓大鼓，而法曲无之。（故其声清越）（丙）《南唐书·周后传》，徐铉曰“法曲终则缓”，此亦为法曲之特征，而与普通大曲不同者也。

法曲声音清越，时人每误为雅乐。天宝十三载（754年），诏法曲与胡部新声合作，守旧之辈，遂以此自相骇怪。[②]文宗时，太常卿冯定采开元雅乐，制《云韶》《法曲》及《霓裳羽衣》舞曲。乐成，改法曲为仙韶曲。[③]愚意所谓开元雅乐者即开元之法曲，史家故作褒美之词，盖欲有所掩饰也。然仙韶曲一词似未能代替法曲而流行。五季之乱，唐法曲之轶亡者颇不

① 文载《东方杂志》二四卷一二号。

② 白居易《法曲歌注》，《新唐志》及《南部新书》己部。

③ 《新唐志》。

少。宋教坊法曲部有《望瀛》《献仙音》两曲。惟当时民间传者仍多，且新法曲亦陆续出现，故直至金元尚可见法曲之踪迹。今将唐宋法曲之可考者，列其曲名如下：

（1）破阵乐　（2）赤白桃李花　（3）霓裳羽衣
（4）火凤　（5）春莺啭[①]　（6）一戎大定乐
（7）堂堂[②]　（8）王昭君　（9）思归乐
（10）倾杯乐　（11）圣明乐　（12）五更啭
（13）玉树后庭花　（14）泛龙舟　（15）万岁长生乐
（16）饮酒乐　（17）斗百草　（18）云韶乐[③]
（19）望瀛　（20）献仙音[④]　（21）献天花[⑤]
（22）万岁兴隆乐法曲。[⑥]

以上论法曲之来源，并著录其曲名。

关于大曲之结构，吾人将于次节中详细论述之。今案大曲

① 元稹《法曲歌》。
② 白居易《法曲歌》。
③ 《唐会要》卷三三。
④ 《宋史·乐志》一七。
⑤ 《乐府诗集》卷九六。
⑥ 《续通志·乐略》一，宋教坊排当九十六曲之一。

之前部分声调舒缓，而后部分则较为急剧。此较为急剧之部分，乃全曲精华所在，而以“破”段为主体，故乐家称为“曲破”，曲破原为截取大曲而成，但亦有专制者；虽为专制，究属大曲之后部分也。此种曲体在唐时，已为乐人所习用。如元稹《琵琶歌》：“骤弹曲破音繁并，百万金铃旋玉盘。”（案指《雨霖铃》大曲之曲破言）韩偓《横塘》：“风飘乱点更筹转，拍送繁弦曲破长。”至宋遂愈见普遍，而教坊及钧容直等且将大曲及曲破分言之矣。①

曲破曲名之可考者今胪列如后：

（1）念家山	（2）振金铃②	（3）宴钧台
（4）七盘乐	（5）王母桃	（6）静三边
（7）采莲回	（8）杏园春	（9）献玉杯
（10）折枝花	（11）宴朝簪	（12）九穗禾
（13）转春莺	（14）舞霓裳	（15）九霞觞
（16）朝八蛮	（17）清夜进	（18）庆云见
（19）露如珠	（20）龙池柳	（21）阳台云

① 《宋志》一七，钧容直条：“大曲曲破并急慢诸曲与教坊颇同。”以大曲与曲破分列。

② 《五国故事》。

(22) 金步摇　(23) 念边功　(24) 宴新春

(25) 凤城春　(26) 梦钧天　(27) 采明珠

(28) 万年枝　(29) 贺回游鸾 (30) 郁金香

(31) 会天仙[①] (32) 庆成功　(33) 凤来仪

(34) 蕊宫春　(35) 连理枝　(36) 朝天乐

(37) 奉宸欢　(38) 贺昌时　(39) 寰海清

(40) 玉芙蓉　(41) 泛仙槎　(42) 帝台春

(43) 宴蓬莱　(44) 美时清　(45) 寿星见[②]

(46) 万寿无疆薄媚曲破　(47) 万岁梁州曲破

(48) 齐天乐曲破　(49) 老人星降黄龙曲破

(50) 万花新曲破[③]　(51) 十色菊万花新曲破

(52) 泛兰舟曲破[④]　(53) 剑器曲破[⑤]

(54) 采莲曲破[⑥]　(55) 菊花新曲破[⑦]

---

① 《宋志》一七，太宗所制曲破。

② 《宋志》一七，太宗所制琵琶独弹曲破。此两种曲破疑皆非太宗一人所制。

③ 周密《武林旧事》卷一及续通志乐略一，天基圣节排当乐。

④ 《武林旧事》卷七。

⑤ 史浩《鄮峰真隐大曲》剑舞。

⑥ 《鄮峰真隐大曲》采莲舞。

⑦ 周密《齐东野语》卷一六。

上列之《薄媚》曲破、《梁州》曲破等即《薄媚》大曲、《梁州》大曲之后部分。然则凡大曲皆可用作曲破矣。张氏《词源》云："大曲则以倍六头管品之，其声流美，即歌者所谓曲破。"此其所谓曲破亦非指全部大曲而言。或有以其为大曲之"唱名"者，非也。

三　大曲之结构

就大曲构成之方式言，可分为两类：（一）原系大曲者，如《凉州》《伊州》等。（二）原非大曲而以此曲为主，凑集若干小曲而成者，如《玉树后庭花》《安公子》《回波乐》《胡渭州》等。关于唐代大曲之组织，其具体记之者颇少。然就唐人诗文中细予钩稽，尚不难知其涯略。且蔡宽夫《诗话》云："近世乐家多为新声，其音谱转移，类以新奇相胜，故古曲多不存。顷见一教坊老工言，惟大曲不敢增损，往往犹是唐本，而弦索家守之尤严。"[①]则由宋大曲亦可推知唐大曲矣。考大曲之特征：（一）多遍，（二）具备序、破等之组织，（三）配舞。三者缺一不可。大曲中所谓"遍"

① 《苕溪渔隐丛话》前集卷一六引。

者，虽皆为乐曲单位之名称，然所指范围则大小不同，综计凡有三类焉。（甲）大曲包括许多可以独立之小曲，如就大曲之全体言，谓之“大遍”。[①]（乙）而就其中之一节言，则各谓之“遍”，如排遍、攧遍、衮遍等。此遍亦有称“叠”者，相当于西洋音乐中之“乐章”（movement）。《唐书·礼乐志》云：“大历元年，又有《广平太一乐》，《凉州》曲，本西凉所献也。其声本宫调，有大遍小遍。”所谓“小遍”者盖即指大曲中可以独立之乐章也。（丙）然每遍中所包括之小曲，亦有不止一曲者。此种小曲，或亦谓之“遍”，[②]或谓之“叠”，[③]或谓之“阕”，[④]《大日本史·礼乐志》谓之“帖”。今图解如下：

① 元稹《琵琶歌》“凉州大遍最嚎嘈”，又《连昌宫词》：“逡巡大遍《凉州》彻。”

② 白居易《霓裳歌》自注：“散序六遍。”

③ 《碧鸡漫志》卷三：“霓裳第一至第六叠无拍者，皆散序故也。”

④ 姜白石《霓裳中序第一序》云：“乐天诗云：散序六阕。”

大曲—大遍

- 遍——
  - 遍
  - 遍
- 遍（以下各遍皆同上）
- 遍
- 遍
- 遍
- 遍
- 遍
- 遍
- 遍
- 遍
- 遍
- 遍

遍亦作徧，亦作片，《词源》谓大曲之“片数与法曲相上下”，又云：“法曲之拍与大曲相类，每片不同。”所谓片者皆指大曲中之遍言。大曲各遍之节拍既已彼此不同，则各遍之曲体必亦互异，故大曲之“遍”与其他短曲之“叠”实不宜混为一谈。短曲之“叠”即“重叠”之意，如今日西洋音乐中之“重复”（Bis）。重复时或亦有些许变易，然其骨干则相同也。今将唐宋大曲之组织系统，列表对照如下：

唐宋大曲结构系统表

遍名 徵引篇名												
	大曲											
	大遍											
郑嵎津阳门诗注	散序		腔									
白居易霓裳羽衣歌	散序		中序（拍序）			破						
大日本史礼乐志	序					破						急
乐府诗集唐水调歌	歌					入破						彻
碧鸡漫志卷三凉州条	(1) 散序	(2) 靸	(3) 排遍	(4) 攧	(5) 正攧	(6) 入破	(7) 虚催	(8)	(9) 实催	(10) 衮遍	(11) 歇拍	(12) 杀衮
碧鸡漫志卷三王平霓裳条					正攧	入破	虚催	衮	实催	衮	歇拍	杀衮
董颖薄媚大曲			排遍		攧遍	入破	虚催	衮遍	催拍	衮遍	歇拍	煞衮
史浩采莲大曲				延遍	攧遍	入破		衮遍	实催	衮	歇拍	煞衮
曹勋应制法曲	散序		歌头		攧	入破						煞
乐学轨范唐乐曲破						入破	虚催	催衮	催拍	中衮	歇拍	煞衮
陈旸乐书卷一八五						入破			催拍		歇拍	

续表

遍名/徵引篇名	大曲									
	大遍									
曾布水调歌头			排遍							
			攧							
草堂诗馀东坡水龙吟词注		排遍	延遍							
				曲破						

表中所列举者，今分别论述之。

吾人于上文中，曾详言法曲即法部演奏之大曲，两者之组织相类。然则由《霓裳》法曲当可推考大曲之组织矣。郑嵎《津阳门诗注》谓叶法善引明皇入月宫，闻仙乐，及归且记其半，“遂于笛中写之。会西凉都督杨敬述进《婆罗门曲》，与其声调相符，遂以月中所闻为之‘散序’，用敬述所进曲为其‘腔’，而名《霓裳羽衣》法曲”。月宫事虽为神怪之谈，然由此可知如分大曲为两部分，即为“散序”与“腔”。散序无拍详见下文。所谓“腔”（或曲）[①]当即指大曲中此一

① 《乐府诗集》卷五六引郑嵎《津阳门诗注》云：“以月中所闻为‘散序’，用敬述所进为‘曲’；而名《霓裳羽衣》。”

部分有节拍之乐章而言。其所以称为腔者，盖以此一部分乐章有节拍，始可被之歌喉也。宋沈义父《乐府指迷》云：“腔律，岂必人人皆能按箫填谱。”“前辈好词甚多，往往不协律腔”。“古曲谱多有异同，至一腔有两三字多少者”。又云：“词腔谓之均，均即韵也。”张炎《词源》上谓“仙吕宫”“正平调”等“数宫调，腔韵相近”。此其“腔”当皆与郑嵎所言者同义。

白居易不惟酷好音乐，而且洞悉歌舞，在杭州为刺史时，尝亲教乐伎商玲珑、谢好好等演奏《霓裳羽衣曲》，故其《霓裳羽衣歌》中所描述者，必有史料价值。然所作非《霓裳羽衣》曲谱，亦不能责之详尽也。其所提出之曲遍有三部分：

第一大段　排序　歌云：“散序六奏未动衣，阳台宿云慵不飞。”（自注：“散序六遍无拍，故不舞也。”）

第二大段　中序　歌云：“中序擘騞初入拍，秋竹竿裂春冰拆。（自注：中序始有拍，亦名拍序）飘然转旋回雪轻，嫣然纵送游龙惊。小垂手后柳无力，斜曳裾时云欲生。（自注：四句皆霓裳舞之初态）烟蛾敛略不胜态，风袖低昂如有情。上元点鬟招萼绿，王母挥袂别飞琼。”《梦溪笔谈》五：“至此始有拍而舞。”案中序相当于后日之排遍。然试绎诗意：此处所举之“中序”疑包括“排遍”至“正攧”之一大段而言，而非仅指排遍也。（排遍有时亦包括攧遍，王明清《玉照新志》卷二载曾布《水调歌头》有“排遍第七、攧、花十八”。此其证也）

第三大段　破　歌云：“繁音急节十二遍，跳珠撼玉何铿锵。”（自注：《霓裳》破凡十二遍而终）翔鸾舞了却收翅，唳鹤曲终长引声。（自注：凡曲将毕，皆声拍促速，唯《霓裳》之末，长引一声也。）案“入破”之名，乐天已知之。其《卧听法曲》诗有云：“朦胧闲梦初成后，宛转柔声入破时。”而《霓裳歌注》所谓“霓裳破”之“破”，实泛指入破后之一大段也。张祜《王家琵琶》：“只愁拍尽《凉州》‘破’，画出风雷是拨声。”温庭筠《观舞妓》：“总袖时增怨，听‘破’复含嚬。”当亦指入破以后之各遍。而《唐语林》卷五云：“天宝中，乐章皆以边地为名，若《凉州》《伊州》《甘州》之类是焉。其曲遍繁声为‘破’。”[①]元稹《琵琶》：“语学胡儿撼玉玲，甘州破里最星星。”张端义《贵耳集》云：“天宝后，曲遍声繁，皆名‘入破’，破者破碎之义。”是自入破遍起，繁声加多，节拍逐渐加速，故谓之“星星”，谓之“破碎”也。又陈旸《乐书》一八五云：“大曲前缓叠不舞，至入破则羯鼓、襄鼓、大鼓与丝竹合作，句拍益急。舞者入场，投节制容，故有催拍、歇拍；姿制俯仰，变态百出。”[②]牛

① 《唐书·五行志》所载与此条略同。

② 白居易谓至中序始舞，而陈旸《乐书》谓至入破而舞者入场。此或即唐宋大曲异点之一也。

殳《方响歌》：“忽然碎打入破声，石崇推倒珊瑚树。”亦皆称破段之声繁而句拍急碎。《词源》谓“其声流美，即歌者所谓‘曲破’”，正与上举诸家所描写者吻合无间。（曲破乃截取大曲法曲“攧遍”以下之各遍而成。）考“破”字在音乐中用作动词或副词，亦皆有碎意。如王建《宫词》：“忽觉管弦偷破拍，急翻罗袖不教知。”羊士谔《夜听琵琶》：“破拨声繁恨已长，低鬟敛黛更催藏。”刘禹锡《泰娘歌》：“低鬟缓视抱明月，纤指破拨生胡风。”破拍、破拨之时，则乐曲之进行即入“破段”矣。乐曲之破段，句拍繁碎，而舞自亦随之繁碎，故就舞容言，此段即谓之“舞破”。元稹《筝》诗：“急挥舞破催飞燕，慢逐歌词弄小娘。”急挥舞破即于筝中奏破段以伴舞。《续唐书·音乐志》谓南唐昭惠后周氏尝制“邀醉舞破”。如专就舞言，则此舞必繁碎；如兼就乐曲言，盖即曲破也。

王氏《大曲考》云：“顾大曲虽多至数十遍，亦只分三段：散序为一段，排遍、攧、正攧为一段，入破以下至煞衮为一段。宋仁宗语张文定、宋景文曰：自排遍以前，声音不相侵乱，乐之正也；自入破以后侵乱矣，至此郑卫也。（王巩《随手杂录》）此其证也。”今持此以与白氏歌相比，则排遍以前即相当于第一大段散序也，自排遍起至入破之前一遍即相当于第二大段中序也，入破以后即相当于第三大段破也。白氏歌乃就此三大段提纲挈领之形容。唐大曲之组织虽未必与宋大曲完全相同，然白氏所谓破十二遍中或即包括催拍等，亦未可知。

源光圀《大日本史·礼乐志》所著录之乐曲，率皆传自隋唐。而每曲之下，分别标注“大曲”“准大曲”“中曲”“小曲”等字眼。其大曲计有《破阵乐》《团乱旋》《春莺啭》《苏合香》四曲。《破阵乐》注云：“凡乐以序、破、急为具。”今案此四大曲即皆具备序、破、急三段，而每段之帖数亦各不同。此当即承袭唐大曲之骨干而未变易者。（一）序，盖包括散序与中序两段。如《春莺啭》：“序一帖，中序二帖，入破四帖。”《苏合香》：“序五帖，破四帖，急五帖。”就前例言，序即散序，而就后例言，序与破紧连，故推定其系合散序与中序而综称之。（二）破即上列破段。（三）急在破之后，盖即曲尾之煞衮。白氏歌注云“凡曲将毕，皆声拍促速”，可知煞衮之声拍必然促速。张祜《悖拏儿舞》云：“春风南内百花时，道调《凉州》急遍吹。”急遍即源光圀所谓“急”，亦即《漫志》之“煞衮”也。今由南卓《羯鼓录》所记李琬之故事以证之。录云：

> 广德中，前双流县丞李琬者亦能之（能击羯鼓）。调集至长安，僦居务本里。尝夜闻羯鼓声，曲颇妙。于月下步寻，至一小宅，门极卑隘。叩门请谒，谓鼓工曰：“君所击者，岂非《耶婆色鸡》乎？虽至精能而无尾何也。”工大异之，曰：“（上略）今但旧谱数本寻之，竟无结尾声，故夜夜求之。”琬曰：“夫曲有不尽者，须以他曲解之，方可尽其声也。夫《耶婆色鸡》当用《掘枝》‘急遍’解之。”

乐工以《耶婆色鸡》曲声不尽，寻求结尾声，而李琬告以“当用《掘枝》急遍解之”，则所谓急遍必即《掘枝》大曲之末遍煞衮也。又王建《宫词》有云："内人好唱《龟兹急》，天子鞘回过玉楼。"《龟兹急》盖即大曲《龟兹乐》之急遍。写至此，忽忆及西洋音乐中，有所谓"套曲"（Suite）者，其结构之规模与大曲颇相类。套曲或译为连曲，普通包括四五个乐章：（一）前奏曲（Prelude or Introduction），（二）缓舞曲"萨拉班特"（Sara-bande），（三）快舞曲"亚兰曼特"（Allemande），（四）四分之三拍慢曲"梅奴爱"（Minuet），（五）极快曲"鸪浪特"（Corrente）。先缓后急，各乐章皆可独立，其性质亦与大曲仿佛。此种套曲在西洋14世纪始有之，而唐大曲由印度传来则在8世纪，故著者颇疑西洋音乐与印度音乐有关，姑附志于此。

《乐府诗集》卷七九载《水调歌》"第一"至"第五""入破第一"至"第六彻"共十一遍。郭茂倩云："按唐曲凡十一叠。前五叠为'歌'，后六叠为'入破'。"前五叠在入破之前而名之为"歌"，则"歌"必指大曲第二大段中之排遍而言。（散序无拍不能配词，所谓歌者必不包括散序。歌或包括攧遍，因攧遍有属于排遍者）然后知排遍之第一遍所以名为"歌头"者，实由于此故。后六叠为"入破"，入破最后之一遍为"彻"。案"彻"实即全曲最末之一遍"煞衮"。元稹《琵琶歌》："逡巡弹得《六幺》彻，霜刀破竹无残节。"

又《华原磬》：“《霓裳》才彻胡骑来，《云门》未得蒙亲定。”王建《霓裳辞》：“一时跪拜《霓裳》彻，立地阶前赐紫衣。”《霓裳》才彻、《霓裳》彻者皆谓曲终也。苏轼《惜花》：“腰鼓百面如春雷，打彻《凉州》花自开。”又《次韵代留别》：“绛蜡烧残玉斝飞，离歌唱彻万行啼。”打彻、唱彻亦皆“结束”“收煞”之意。[①]

王灼《碧鸡漫志》卷三《凉州》条：“凡大曲有散序、靸、排遍、攧、正攧、入破、虚催、〔衮遍〕、实催、衮遍、歇拍、杀衮始成一曲，此谓大遍。”同卷《霓裳》条又云：

> 宣和初，普府守山东人王平，词学华瞻，自言得夷则商《霓裳羽衣》谱。取陈鸿《白乐天长恨歌传》并乐天寄微之《霓裳羽衣歌》，又杂取唐人小诗长句及明皇太真事，终以微之《连昌宫词》，补缀成曲，刻板流传。曲十一段：起第四遍第五遍第六遍、正攧、入破、虚催、衮、实催、衮、歇拍、杀衮，音律节奏与白氏歌注大异。

① 史浩《鄮峰真隐大曲》“剑舞”最后一段，乐部唱曲子，舞《剑器》曲破一段，自注云：“作龙蛇蜿蜒曼舞之势。两人唐装者起，二舞者一男一女对舞，结《剑器》曲破，彻。”

两相比较，则知此十一段之前三段“第四遍”至“第六遍”必系排遍，而《凉州》条所记曲遍“虚催”下必漏一“衮遍”（即前衮）。此十二种曲遍乃大曲之正规组织。然宋人制曲填词者抑或酌减数遍。任氏《拍眼考》谓：“十种片名[1]，其实皆各由其拍法而定，即可作十种拍名观。”案其中亦有因舞法而定者，非全由于拍法也。今分别论述如后：

第一 散序 上文引白氏《霓裳羽衣歌》注，知散序无拍，故不舞。其《王子晋庙》诗云：“子晋庙前山月明，人间往往夜吹笙。鸾吟凤唱听无拍，多似《霓裳》散序声。”其声无拍，故以为似《霓裳》之散序。散序虽无拍，然特具一种悠扬宛转之情调。乐天最喜听之。其《重题别东楼》云：“宴宜云髻新梳后，曲爱《霓裳》未拍时。”未拍时即指散序也。晚年居洛阳，尝作《池上篇》，序云：“酒酣琴罢，又命乐童登中岛亭，合奏《霓裳》散序。声随风飘，或凝或散，悠扬于竹烟波月之间者，久之。”可见其沉酣倾倒，反复赞叹之概。王建《宫词》：“巡吹漫遍不相和”，漫遍或亦指散序而言。至宋张炎《词源》云：“法曲散序无拍，至歌头始拍。”此与唐代无异。任氏《拍眼考》云：“散序之散，谓无拍也。”斯语

① 任氏所列举者，误漏正攧及前衮两遍。

深中肯綮。

第二 靸 任氏《拍眼考》云："仅有敲、掯而已，亦尚无拍之名义，因《讴曲要旨》[1]有'七敲八掯靸中清'也。"案薛能《舞者》诗有云："绿毛钗动小相思，一唱南轩日午时。慢'靸'轻裾行欲近，待调诸曲起来迟。"则"靸"或系将舞时之预备动作。

第三 排遍 大曲中有拍子自此始。《乐府诗集》卷七九载唐《水调歌》有"排遍"两遍，《陆州歌》有"排遍"四遍。《梦溪笔谈》卷五谓："《霓裳》十二叠（鲁案此句有误），前六叠无拍，至第七叠方谓之'叠遍'。"是排遍亦可称为叠遍。考大曲各遍内所包含之小曲，率不止一遍，而排遍则尤多。王灼《漫志》卷三云："《凉州》排遍，予尝见一本有二十四段。"又董颖《薄媚》大曲自"排遍第八""排遍第九"起，皆可证排遍所以谓之"排"谓之"叠"者，实由于所含小乐曲最多之故。而任氏《拍眼考》以为"排遍之排谓排匀也"，遂推测此遍有二十拍或二十二拍。今节录其原文如次：

何以知排遍为十六拍或十八拍，而外加四艳拍乎？曰：

① 张炎《词源》中之一节。

前引《词源》论序子之拍，有曰：“与法曲散序中序不同，法曲之序一片正合均拍”。末二句中疑有讹字，疑应作“法曲中序，每片正合均拍”。所谓均拍者，前引《词源》又曾云：“如大曲《降黄龙》花十六，当用十六拍。”十六拍即八均拍一也。《漫志》卷三云：“欧阳永叔云：贪看《六幺花十八》，此曲内一叠名花十八，前后十八拍，又四花拍，共二十二拍。”十八拍即九均拍二也。因或为八均或为九均无定，故《词源》上文仅曰“正含均拍”，而不曰正合几均拍也。九均拍即能加四艳拍为二十二拍，则八均拍亦何尝不可加四艳拍而为二十拍与漫曲同乎？非排遍兀以为中序，非中序无以合均拍，非均拍无以言前后十八拍或十六拍。因此可以定法曲大曲排遍拍眼之数，确为十六或十八，二十或二十二也。

案此种推测，恐失之穿凿。且“花十八”，曾布《水调歌头》注之于攧遍下，如排遍不包括攧遍，更不得谓为十八拍也。

王氏《大曲考》云：“唐以前，‘中序’即‘排遍’，宋之‘排遍’，亦称‘歌头’。”据乐天《霓裳歌》，唐之大曲于“中序”开始有拍，而张氏《词源》云“法曲散序无拍，至‘歌头’始拍”，是唐大曲之中序与宋大曲之歌头，两者之地位固相当矣。然张氏于此处既已称为“歌头”，而于同篇中又谓：“外有序子与法曲‘散序’‘中序’不同。”则所谓“歌头”与“中序”者必有可以区别之处。王氏又云：“如《水调歌头》即《新水调》之排遍。宋之大曲恒不用散序与靸，故歌者自排遍起也。”然《明皇杂录》云：明皇好《水调歌头》，王建《闲说》诗云“歌头舞遍回回别，鬓样眉心日日新”，知唐代已有歌头矣。《尊前集》载后唐庄宗词有“歌头”一阕，知五代亦有歌头矣。宋之大曲，虽歌者自排遍起，与歌头得名之由来，恐无甚关涉也。前引《乐府诗集》《水调歌》序曾云：“按唐曲凡十一叠，前五叠为歌，后六叠为入破。”此十一叠皆整齐之五七绝诗，应全称为歌，而独谓入破前之五叠为“歌”者，则“歌”即专指排遍而言（或亦包括攧遍）。排遍为“歌”，则“歌头”必为排遍之第一遍也，明矣。且《草堂诗馀注》固早疑其如此矣。《注》云：“《水调》曲颇广，谓之歌头，岂非首章之一解乎？”[①]宋人大曲多缺散序与靸，则所谓首章即排遍，而所谓一解者即指其第一遍言也。今试由宋人作品中证明之。

（一）曹勋《松隐乐府》卷一有《应制法曲》十一

① 卷下，苏轼《南柯子》词注。

段：（1）散序，（2）歌头，（3）遍第一，（4）遍第二，（5）遍第三，（6）第四攧，（7）入破第一，（8）入破第二，（9）入破第三，（10）入破第四，（11）第五煞。案（2）歌头之后，不曰“歌头第二”“歌头第三”，而曰“遍第一”“遍第二”者，即排遍中除歌头外，而另立新次序之“排遍第一、排遍第二”也。依大曲之原序，歌头为排遍第一，则歌头之后实自排遍第二始。

（二）王明清《玉照新志》卷二云：“《冯燕传》，见之《丽情集》，唐贾耽守太原时事也。元祐中，曾文肃（布）帅并门，感叹其义风，自制《水调歌头》以亚大曲。然世失其传。近阅故书，得其本，恐久而湮没，尽录于后。”其词繁多，今仅提举其节目如下：（1）排遍第一，（2）排遍第二，（3）排遍第三，（4）排遍第四，（5）排遍第五，（6）排遍第六，（7）排遍第七、攧、花十八。此七遍虽题名《水调歌头》，而《水调歌头》实即其第一遍也。《水调歌头》，宋人作者有毛滂、周紫芝、苏轼、贺铸、王之道、张孝祥、刘因、傅公谋等。其词之字数句律，各微有出入，今取刘词与曾词排遍第一比较之：

刘因《水调歌头》九十六字

一诺与金重	一笑比河清	风花不遇真赏	终古未全平
前日青春归去	今日樽前笑语	春意满西城	花鸟喜相对
宾主俱眼明		平生事	千古意
两忘情	醉眠君且去我	扶我者有门生	窗下烟江白鸟
窗外浮云苍狗	未肯便寒盟	从此洛阳社	莫厌小车行

曾布《水调歌头》排遍第一，一百字

魏豪有冯燕	年少客幽并	击毬斗鸡为戏	游侠久知名
因避仇来东郡	元戎逼属中军	直气凌貔虎	须臾咤叱风云
凛凛坐中生		偶乘佳兴	轻裘锦带
东风跃马	来往寻访幽胜	游冶出东城	堤上莺花掩乱
香车宝马纵横	草软平沙稳	高楼两岸春风	笑语隔帘声

两相比较，知字数与韵脚位置虽稍有不同，而其骨干则并无二致。然任二北云：“今曾词有排遍七遍，可见歌头二字乃指排遍七遍之全体而言，非指排遍第一之一遍而言也。考之本调：起拍三句与曾词排遍第一首三句合，换头四句与曾词排遍第四首四句合，其余句法，则又散见于各遍中。是苏词此调乃就大

曲排遍之七遍内取材，剪裁连缀而成，绝非某一整遍也。”[1]吾人将两词比较后，知《水调歌头》与曾词排遍第一之句法相同，而与其他六遍则相差甚远。任氏考之本调云云，立说盖不甚安。且曾词七遍亦包括攧遍，如以此一大段而名为歌头，亦与歌头之名义不合。至谓苏词乃就此七遍内取材，剪裁连缀而成，此说亦可考虑。盖此调，宋人填者多家，并非东坡所自度者也。

第四 攧 《漫志》所列大曲节目，排遍之后为“攧”，而攧之后为“正攧”。疑《漫志》之正攧应相当于其他大曲之攧，而攧则相当于其他大曲之延遍也。史浩《采莲》大曲起于延遍，延遍后即为攧遍。[2]《草堂诗馀注》云：“如今之乐府诸大曲，凡数十解，于前则有排遍，于后则有延遍。”[3]亦谓延遍在排遍之后。而王氏《大曲考》引此注云：“于攧前则有排遍，攧后则有延遍。”文中二攧字不知据何本而增，氏遂主张其次序无定。今考之《四印斋》本，知与史浩大曲内此两遍之次序固相符也。

第五 正攧、攧 《漫志》所列之“正攧”，应相当于其他

① 《词学研究法》。

② 《鄮峰真隐大曲》卷一。

③ 四印斋本，卷下，苏轼《水龙吟注》。

大曲之“攧”。其所以冠以“正”字者即标明其位置之意也。董颖《薄媚》、史浩《采莲》、曹勋法曲、高丽成伣《乐学轨范》所载唐乐曲破，皆以攧遍紧邻于入破之前。王氏《大曲考》云：“周密《癸辛杂识》后集载德寿宫舞谱，《五花儿舞》有踢、搕、刺、攧、击、搠、捽诸名，则以舞中之一节因以名其遍者。”案曾布《水调歌头》有“排遍第七、攧、花十八”，则此遍为“花十八”。所谓“花十八”者，《漫志》云：“欧阳永叔云：贪看《六幺花十八》。此曲内一叠名花十八，前后十八拍，又四花拍，共二十二拍。乐家者流所谓花者，盖非其正也。”

前曾谓曲破乃截取大曲法曲之后段而成。任氏《拍眼考》云：“愚意入破之片名虽居第五，而曲破之唱名应从第三排遍起，即包含在内。”案曲破实指攧遍以下之一大段而言。今举两事以证之：（一）《乐学轨范》著录唐乐之“曲破”，自攧遍起，此后各遍之次序与《漫志》等相同。（二）王建《宫词》云：“两班齐贺玉关清，新奏《熙州》曲破成。画鼓连声催攧遍，内人多半未知名。”促内入舞《熙州》曲破而曰“催攧遍”，则曲破之开始乃为攧遍，甚明。

第六　入破　入破为第二大段“破”之第一段。其所以名入破者，谓破段由此始也。其见于记载者，尚有数事：岑参《田使君席上舞如莲花北铤歌》：“此曲胡人传入汉，诸客见之惊且叹。（中略）翻衣入破如有神，前见后见回回新。”和凝《宫词》：“几处按歌齐入破，双双雏燕出宫墙。”又李肇《国史补》载开元中吹笛名手李著，尝月夜泛舟，有客呼舟请载；既至，请笛而吹，曲甚精妙。及入曲，“呼吸盘擗，应指粉碎”。《逸史》载独孤生吹笛，及入破“笛遂败裂，不复终曲”。笛碎裂事，夸诞不经，难以凭信。然由此亦可见至入破，则节拍繁促矣。节拍繁促，则舞亦繁促而变化多端，故岑参云“前见后见回回新”也。

第七　虚催　史浩《采莲》缺此节目。

第八　衮遍　《漫志》凉州条缺之，而王平《霓裳》条作“衮”，无遍字。董颖、史浩俱作“衮遍”。《轨范》作“催衮”。《词源》作“前衮”。刘克庄《后村别调集·贺新郎》词云：“笑煞街坊拍衮。”王氏《大曲考》云：“衮，当就拍言之。”

第九　实催　董颖《薄媚》、《轨范》、陈旸《乐书》俱作“催拍”。黄庚《夜宴诗》云：“艳曲喜听催拍近，狂歌自觉入腔难。”是唐代已有此名。前引《乐书》云：“舞者入场，投节制容，故有催拍、歇拍。”然则催拍、歇拍亦因舞而名其遍也。曹勋《松隐乐府补遗》有“长寿仙促拍”词，祝太母生辰。《长寿仙》为大曲，促拍即催拍。《乐府诗集》卷七九有《簇拍陆州》，簇拍即促拍，亦即催拍也。

第十　衮遍　《漫志》凉州条与董颖《薄媚》皆作“衮遍”。而王平《霓裳》及史浩《采莲》则作“衮”。《轨范》《词源》均作“中衮”。

第十一　歇拍　表中所列举之诸书无异称。至此则乐舞将歇也。

第十二　煞衮　与前衮、中衮合称三衮。《漫志》作“杀衮”。曹勋法曲作“煞”，无衮字。其余诸大曲俱作“煞衮”。[①]唐人或称为“彻”，彻者亦曲之终也。

沈括《梦溪笔谈》卷五论及当时大曲之各遍，其名称多与上文所列举者不同。文曰：“所谓大遍者有序、引、歌、歙、唯、哨、催、攧、衮、破、行、中腔、踏歌之类，凡数十解。每解有数叠者，裁截用之，则谓之摘遍。今之大曲皆是裁用，悉非大遍也。”考沈氏所举各目，惟歙[②]、攧、催、衮、破等，见于大曲。“引”盖即“引子”，宋大曲如《柘枝舞》等，往往先奏引子，而后舞者入场。序、歌或亦各为大曲之一部分：序指散序中序，而歌指排遍。然其他诸目则非大曲所

---

① 《广韵》：“煞，俗杀字。”

② 王氏《大曲考》：“歙与靸同音。”

有。王氏《大曲考》云："中腔、踏歌，《武林旧事》述圣节仪，第二盏赐御酒，歌板起中腔；第三盏，歌板唱踏歌。（卷一）《梦粱录》所载次序稍异：第一盏进御酒，歌板色一名唱中腔一遍，讫，至再坐第八盏，歌板色长唱踏歌。中间间以百戏杂剧大曲等。（卷三）愚意唯、哨、中腔、踏歌未必为大曲之一遍，沈氏盖误以大宴时所奏各乐均为大曲耳。"今案王骥德《曲律》卷四转载《乐府浑成集》林钟商目中亦有哨声、中腔、踏歌、引、序、大曲、曲破等名目，大约皆为当时音乐中习用之名词，而沈氏取以与催衮等杂凑而成大曲，非真知大曲之内容也。

上文曾引《梦溪笔谈》云："今之大曲皆是裁用，悉非大遍。"又《碧鸡漫志》卷三亦云："世所行《伊州》《胡渭州》《六幺》皆非大遍全曲。"又："后世就大曲制词者，类从简省，而管弦家又不肯从首至尾吹弹，甚者学不能尽。"可见大曲至于宋代，管弦家于普通演奏之时，已多有斟酌截用其一部分者。此截用之一部分，即谓之摘遍。自摘遍之法盛行，[1]其影响约有两端：（一）词家选择大曲之摘遍以开始填词。宋人虽有就大曲之全遍以填词者，究属少数。（二）就摘

① 摘遍之法不始于宋，但至宋始盛行。

遍以衍制性质不同之独立乐曲。《漫志》卷三云："凡大曲，就本宫调制引、序、近、慢、令，盖度曲者常态。"此即词调中引、序、近、慢、令来源之一种，而同时亦为大曲流变之一方面也。

（《国立北京大学五十周年纪念论文集》
文学院第十种，1938年12月）

南北朝至唐代佛教寺院的音乐活动

东汉初年，佛教经由新疆传入中原地区，在统治阶级提倡之下，便逐渐流行起来。随着佛教的东传，天竺（包括今印度、巴基斯坦和孟加拉等国）和西域（包括今中亚及新疆地区）各地的佛教音乐也陆续传进来。但这种佛教音乐和中原地区的语言和音乐传统不能完全适应。南朝梁僧人慧皎说：

> 自大教（指佛教）东流，乃译文（经文）者众，而传声盖寡。良由梵音重复，汉语单奇。若用梵音以咏汉语，则声繁而偈（一种颂诗）促；若用汉曲以咏梵文，则韵短而词长。是故金言（经文）有译，梵响无授。

他认为佛教经文可以翻译，佛教歌曲则无法传授。传来的佛曲不能配合用汉语译出或创作的歌词，而在中原地区传教或“化缘”又必须用汉语歌词，这就发生了矛盾。面对着这样的情况，僧人只有采用民间乐曲改造传来的佛曲或创作新佛曲。杨荫浏同志说：“中国的佛教音乐，一开始就取材于民间，因而获得了在本土上发芽生根的机会。”[①]他的论断非常中肯。

慧皎又说：

> 天竺方俗，凡是歌咏法言，皆称为呗。至于此土（指中国），咏经则称啭读，歌赞则称梵呗。
>
> 近有西凉州呗，源出关右（函谷关以西地区），而流于晋阳，今之《面如满月》是也。凡此诸曲，并制出名师，后人继作，多所讹漏。[②]

佛家相传，三国时曹植“深爱声律，属意经音”，他吟唱佛经的声调为僧人所宗。这个故事出于伪托，但这种声调流行于寺院中，大约是指咏经的啭读而言，即所谓“讽诵调”，比较单调，还不能算是佛曲。梵呗的唱腔应当属于佛曲。这种佛曲已有地方特点，如“西凉州呗”。一般僧人唱梵呗时，所用佛曲

① 《中国音乐史稿》第六章。

② 《高僧传》卷一三。

大概也只是有限的几只，而且唱得也未必合调，只有一些突出的“艺僧”才能演唱或演奏许多佛曲，达到一定的水平。如释昙凭，“每梵音一吐，辄象马悲鸣，行途住足”。他能使路上行人驻足而听。

南朝齐竟陵王萧子良，于齐高帝建元五年（483年），“招致名僧，讲论佛法，造经呗新声，道俗之盛，江左未有也。”[1]所谓“经呗新声”大概是指乐曲而言。梁武帝（502—547年在位）也是一个信佛的人。《隋书·音乐志》记载：

> 帝既笃敬佛法，又制《善哉》《大乐》《大欢》《天道》《仙道》《神王》《龙王》《灭过恶》《除爱水》《断苦轮》等十篇，名为正乐，皆述佛法。又有法乐童子伎，童子倚歌梵呗，设无遮大会则为之。

这十篇都是宣扬佛法的歌词，可以配佛曲演唱。啭读声调和佛曲等虽皆出于中原地区或经过中原僧人改造，但都或多或少地带有印度音乐的因素，有浓厚的宗教意味。

---

① 《南齐书》卷四〇。

北朝的北魏地区，佛教更为兴盛。《魏书·释老志》记载："今之僧寺，无处不有。或比满城邑之中，或连溢屠沽之肆。""梵唱屠音，连檐接响。""屠音"即"浮屠"（佛教）之音——佛教音乐。北魏孝文帝太和十年（486年），北魏都城由平城（今山西大同）迁到洛阳，从此洛阳就成为北方的佛教中心。《洛阳伽蓝记》一书中，保存了一些关于当时寺院乐舞的资料，如：

> 景明寺。八月节，"京师诸像，皆来此寺"。"梵乐法音，聒动天地，百戏腾骧，所在骈比"。
>
> 景兴尼寺。"有金像辇，去地三丈"。"飞天伎乐，望之云表"。"像出之日，常诏羽林（军）一百人举此像，丝竹杂伎，皆由旨（皇帝命令）给（调拨）"。
>
> 景乐尼寺。"至于六斋，常设女乐。歌声绕梁，舞袖徐转，丝竹寥亮，谐妙入神"。"召诸音乐，逞伎寺内。奇禽怪兽，舞抃殿庭，飞空幻惑，世所未睹"。
>
> 王典御寺。"至于六斋，常击鼓歌舞"。

这些寺院里在佛教和民间节日，不仅演奏佛教音乐，也演奏一般音乐，并表演舞蹈和杂技。寺院的宗教活动也是社会上的群众性的娱乐活动。佛教乐舞等当由僧尼表演，一般乐舞百戏即由官府艺人和社会上的职业艺人表演。有些艺僧也擅长一般乐舞百戏。如法云寺有西域乌场国僧昙摩罗[①]，就是表演幻术的高手。

《洛阳伽蓝记》还记载："有调音、乐律二里。里内之人，丝竹讴歌，天下妙伎出焉。"这种专业艺人的培养可能得到寺院的帮助，而寺院的音乐活动也需要这些专业艺人参加。

隋代宫廷设置的"七部乐"和"九部乐"中，"西凉乐"有舞曲《于阗佛曲》，于阗是地名，在今新疆和田一带；"天竺乐"有舞曲《天曲》，《天曲》也是佛曲[②]。这时有些佛曲已在社会上流行，其中更有代表性的已列入宫廷燕（宴）乐的节目中。传播佛曲的渠道主要是寺院。当时开始出现的"法曲"，属于中原传统音乐，但吸收了宗教（主要是佛教和道教）音乐的因素。

唐高祖即位（618年）之后，宫廷仍沿用隋朝的九部乐，至唐太宗贞观（627—649年）初年增为十部。其中"天竺乐"的

---

① 乌场国（Udyanad），在今巴基斯坦斯瓦特（Swat）河畔。

② 向达先生认为，这里所说的《天曲》即陈旸《乐书》所说的《提梵》曲，"提梵"是梵语deva（天）的音译。（《论唐代佛曲》，见《唐代长安与西域文明》论文集）按《乐书》卷一五九《诸胡曲调》中所列曲名，除《提梵》一曲外，都标明佛曲，但此曲既列入这一类，也应是佛曲。

乐工、舞工都穿袈裟，乐舞必然有显明的佛教色彩。唐代是中国佛教发展的鼎盛时期，寺院林立。有些寺院既是宗教和娱乐活动的处所，也是商业活动的处所。不仅有艺僧表演，而且有官府和社会上的艺人到寺院表演。

唐太宗贞观三年（629年），著名的高僧玄奘前往天竺取经，访问数十国，于贞观十九年（645年）返长安，即从事翻译佛经的工作。《旧唐书·玄奘传》记载：

〔唐〕高宗在宫为文德太后追福，造慈恩寺及翻经院，内出大幡，敕九部乐及京城诸寺幡盖众伎，送玄奘及所翻经像、诸高僧入住慈恩寺。

这里所说的“众伎”可能包括诸寺中的艺僧。唐宪宗时孟郊作《教坊歌儿》诗：

十岁小小儿，能歌得朝天。六十孤老人，能诗独临川。去年西京寺，众伶集讲筵。能嘶《竹枝词》，供养绳床禅。

僧人讲论佛经的集会，也有教坊伶伎参加，演唱歌曲。

寺院中有些艺僧也具有很高的艺术水平。唐武后至唐玄宗时，宋璟有一次上奏疏《请停仗内音乐》。他说：

十月十四、十五日，承前诸寺观，多动音声。今传有仗内音声，拟相夸斗。官人百姓，或有缚棚。此事倘行，异常喧杂。①

艺僧出动，演奏音乐，可以引起官府艺人的对抗，可以招致官人百姓搭棚观看。这说明，他们确实有演奏器乐、歌唱或表演舞蹈、杂技的本领。

艺僧中也有不少高手，段善本就是最突出的一个。唐段安节《乐府杂录·琵琶条》说：

贞元（785—804年）中有康昆仑，第一手。始遇长安大旱，诏移两市祈雨。及至天门街，市人广较胜负，及斗声乐。即街东有康昆仑琵琶最上，必谓街西无以敌也。遂请昆仑登彩楼，弹一曲新翻羽调《录要》（《六幺》）。其街西亦建一楼，东市大诮之。及昆仑度曲，西市楼上出一女郎，抱乐器，先云："我亦弹此曲，兼移在枫香调中。"及下拨，

① 《全唐文》卷二〇七。

声如雷，其妙入神。昆仑即惊骇，乃拜请为师。女郎遂更衣出见，乃僧也，盖西市豪族厚赂庄严寺僧善本，以定东廓之胜。

善本原姓段，当时人也称他段师。这个故事不免有演义成分，但可以说明段善本的艺术造诣已为当时人所公认。他这次弹的不是佛曲，而是流行的大曲《六幺》。诗人元稹的《琵琶歌》说：

玄宗偏许贺怀智（琵琶名手），段师此艺还相匹。段师弟子数十人，李家管儿称上足。管儿还为弹《六幺》，《六幺》依旧声迢迢。猿鸣雪岫来三峡，鹤唳晴空闻九霄。

管儿弹出的这样优美清爽的《六幺》曲，不是也可以反映段善本的艺术修养和风格吗？

唐代寺院中宗教和音乐活动的开展，是和统治阶级的提倡有关的。如唐懿宗就是笃信佛法的一个皇帝。唐苏鹗《杜阳杂编》卷下记载：

上敬天竺教。〔咸通〕十二年（871 年）冬，制二高座赐新安国寺，一曰讲座，一曰唱经座。〔佛〕降诞日，于宫中结彩为寺，赐升朝官已下锦袍。李可及（宫廷伶人）尝教鼓百人作四方菩萨蛮队。

《旧唐书·曹确传》说：李可及“作菩萨蛮舞，如佛降生”。宫廷如此崇拜佛教，当然影响到各寺院。

长安的大寺院里，平时也设置“戏场”。宋钱易《南部新书》记载，唐宣宗大中（847—859年）年间，“长安戏场多集于慈恩（寺），小者在青龙（寺），其次在荐福（寺）、永寿（寺）”。寺院设戏场，由来已久，并非始于唐宣宗时，这里所说的是当时戏场的分布情况。到戏场去的有平民，也有达官贵人。唐宣宗时寿阳公主嫁给郑颢。有一次，郑颢之弟郑颛患重病，宣宗派人探视。探视者回来以后，宣宗问他：“公主何在？”回答说：“在慈恩寺观戏场。”[①]可见公主也到寺庙观戏。这种寺院戏场里都有些什么活动呢？史籍中缺乏详细记载，大概有乐舞、俗讲、歌舞小戏、杂技之类。

唐李公佐《南柯太守传》（传奇）中，写一人曾“过禅智

① 《资治通鉴》卷二四八。

寺，于天竺院观右延舞《婆罗门》”。此书虽然是小说，也反映了一些社会现实。右延大概是一个比较有名的艺僧，才被写入小说。天竺院里也许有戏场。《婆罗门》是具有印度佛教特征的一个舞种。

唐代寺院中盛行“俗讲”，最初只是宣扬佛教，后来，为了招引听众，募集布施（化缘），于是广泛地采用社会题材。唐赵璘《因话录》说：

> 有文溆僧者，公为聚众谈说，假托经论，所言无非淫秽鄙亵之事。（略）听者填咽寺舍，瞻礼崇奉，呼为和尚。教坊效其声调，以为歌曲。

《乐府杂录·文溆子》说：

> 长庆（821—824年）中，俗讲僧文溆善吟经。其声宛畅，感动里人。乐工黄米饭依其念四声观世音菩萨，乃撰此曲。

乐工所记录整理的《文溆子》曲，只是文溆作俗讲时常用的一种唱腔，引起了听众的兴趣。由于俗讲的内容超出佛教故事，文溆受到统治阶级的压制和迫害。[①]

寺院中表演的《狮子舞》属于杂技类，有器乐伴奏。很多僧人都能表演。

清光绪二十五年（1899年），在甘肃敦煌莫高窟发现的大量文书中，有曲谱、舞谱、曲子词、变文等，为研究唐代乐舞和音乐文学提供了重要资料。这些资料大部分是寺院保存使用的，也有些文学作品出于僧人之手。唐代流行的乐曲大致可以分为“杂曲子”和“大曲”两类。前者是独立乐曲，一般都比较短；后者是包括许多乐章的大型乐曲。配合这种乐曲的唱词，有歌诗，有曲子词。歌诗指齐言诗，大部分是绝句；曲子词或简称词，是依照乐曲节拍而填写的长短句形式（有少数是齐言体）。长短句的词体起源于民间，但在古代书籍中缺乏著录。敦煌曲子词人部分是民间作品，除宣扬佛教的以外，突出地反映了反对长年战争的心情。

敦煌发现的曲谱有《倾杯乐》《西江月》《心事子》《伊州》等九曲；舞谱残卷包括《遐方远》《南歌子》等六曲，还有《五段子》等三曲中的各一段。这些乐谱和舞谱，大概都是艺僧使用的。当时的艺僧经常练习和表演乐舞。斯字3929号卷

① 参看向达：《唐代俗讲考》。

子抄录的董保德等《建造兰若（佛寺）功德颂文》说：[①]

又于窟宇讲堂后，建此普净之塔（原注“四壁图绘”）。门开慧日，窗豁慈云，清风鸣金铎之音，白鹤沐玉毫之舞。果唇凝笑，演花勾于花台，莲脸将然（燃？），披叶文于叶座。

饶宗颐先生认为“盖当时兼演花舞勾队”，如宋代的“花舞”。案后几句未必是写实，也可能是指壁画中的乐舞图而言。伯字4640号卷子背面记着一条：“十四日支与王建铎队舞额子粗纸壹切。”[②]饶文认为，“此为舞队需用之纸张，王建铎则领队者也。”可见当时有队舞活动。

斯字2440号卷子正面抄录的《八相押座文》，全是七言唱词，叙述“太子修道”的故事。[③]押座文是变文的开头部分。这份卷子的背面也抄录了一篇叙述太子修道故事的唱词，没有

---

① 英国斯坦因（M. A. Stein）窃去的敦煌卷子，现在伦敦不列颠博物院。转引自饶宗颐：《敦煌曲》。案：饶文搜集资料比较丰富。我没有见到全文，只看到第六节。所引资料，文字仍待校订。

② 法国伯希和（P. Pelliot）窃去的敦煌卷子，现存巴黎国家图书馆。转引自饶文。

③ 见王重民等《敦煌变文集》卷七。

标题。[1]它和《八相押座文》比较，有一大段唱词相同。其不同之点即这一篇标出了故事中的不同人物，有大王、夫人、吟生、新妇，还标出“队仗白说”“回鸾驾却”“四吟”“临险吟”“修行吟”。唱词中又有“青一队，黄一队，态踏”“尽情歌舞乐神祇”“歌舞不缘别余事”等句。饶文认为从这段记载，“可以明了变文于唱诵时兼有舞队”，“可为敦煌演奏佛曲时歌舞相兼之写照”。这种形式比一般变文又有所发展，已经构成了一种歌舞小戏。

唐代的变文久已失传，敦煌资料中才又出现了这类作品。它的形式可以分为三类：（1）只唱不说；（2）有说有唱，占多数；（3）只说不唱。前两类都用乐曲演唱，后一类和音乐无关。就内容说，变文可以分为四类：（1）宣扬佛教的，占大多数。（2）宣扬佛教时，增加为当时人祈求功德的文词。（3）宣扬佛教时，穿插说唱历史上或民间的一些故事传说。（4）说唱当时人或历史人物的专题故事。宣扬佛教的俗讲，由僧尼担任；为达官贵人或大施主祈求功德的，也应当由僧尼担任；其他演唱当时人或历史人物故事的，可能即由专业艺人担任。演唱变文，一般都在寺院里，有时也在达官贵人的

---

① 见上引饶文。

宅第里。

北京图书馆藏成字96号卷子，正面写《目连变文》，背面写着：

> 法律德荣唱“紫罗鞋两”，得布五百八十尺；支本分百五十尺，支定真、政会、图福盈各百五十尺，余二十尺。又僧政愿清唱“绯绫绵被”，得布一千五百二十尺、旧𫄨壹仟尺；支图海明等十五人各百五十尺。又金刚唱“扇”，得布五十五尺；支本分百五十尺，余九十五尺。又道成唱“白绫袜”，得布七十尺；支本分及普列法各百五十尺，余百三十尺。又法律道英唱“白绫袜”，得布三百尺，又唱“黄尽坡”，得布五百尺；支本分及图道明等七人各百五十尺。（下缺）

研究者认为这项材料不易理解[①]。“紫罗鞋两”等不像曲名，不知是否为俗讲僧人所得的报酬布匹，收支数目都不相符，也不知如何解释。

敦煌是当时我国西部的一个佛教中心，虽然寺院中宗教和

① 参看任二北《敦煌曲初探》第五章。

娱乐活动的规模不能和长安、洛阳的寺院相比，但根据敦煌发现的这些资料也可以推想当时中原地区的寺院的情况。

（《燕园论学集》，北京大学出版社1984年版）

舞

《诗经》中的舞蹈形象

《诗经》是我国最早的一部诗歌总集。它保存下来的作品有305篇，分为《风》《雅》《颂》三大类。《风》是各地区具有地方特点的乐歌，多半是民间歌谣。《雅》又分为《大雅》和《小雅》。《大雅》是贵族的作品；《小雅》中有贵族作品，也有民间歌谣。《颂》是宗庙里贵族祭神祭祖的乐歌，又分为《周颂》、《鲁颂》和《商颂》三类。就作品的时代说，大约上起西周初年（前11世纪），下至春秋中期（前6世纪），前后经历约五百年。

《诗经》中保存了很多舞蹈史料，许多同志已经做过研究，取得了可喜的成果。现在我准备再提出《诗经》中描写的三个大型舞蹈——战车舞、《大武》舞和《大濩》舞的形象问题[①]，加以讨论，请读者指正。

一　战车舞

《邶风·简兮》篇说：

〔1〕简兮简兮，方将万舞。日之方中，在前上处。硕人俣俣，公庭万舞。

〔2〕有力如虎，执辔如组。左手执籥（乐器），右手秉翟（雉尾）。赫如渥赭，公言锡（赐）爵。

〔尾声〕山有榛，隰有苓。云谁之思？西方美人。彼美人兮，西方之人兮。

诗三章，最后一章也许是全诗的“乱”段[②]。现在把这一章定为“尾声”。《诗经》中有些尾声或引子可能是选择另一个小曲或其他乐曲的一段而移植过来的，有时连歌词也带了来，

---

① 以前，我写了两篇文章《〈诗经〉乐章中的乱》（《北京大学学报》1964年第3期）和《我国古代第一部诗歌总集——〈诗经〉》（《词刊》1981年第3期），讨论过这三个舞蹈的问题，但语焉不详，也有错误，需要补充订正。战车舞的名称是我加的。

② 乱，较长乐曲中的最后一段，是乐曲的高潮部分，往往使用多种乐器合奏。

所以有些尾声或引子的歌词在内容上就未必能和主歌配合一致。《简兮》也是这样。

“简兮简兮”，形容鼓声[①]。健美的舞师在国君的朝庭里正准备表演万舞。关于万舞的解释，有的认为是“干（盾牌）舞”，即武舞；有的认为也包括羽舞，即文舞。至今还难以做出结论。但万舞大概是指大型舞蹈而言。从这篇诗看，万舞包括武舞和文舞两部分。舞师像老虎一样地有力气，那驾驭马的缰绳在他们手里却像丝带一样柔软。这是表演的武舞战车舞[②]。武舞之后，又有文舞，舞师左手拿着排箫，右手拿着山鸡翎。舞师的人数大概不少。当时的国君可以用文舞“六佾”[③]，即三十六人。舞蹈结束后，舞师累得满脸通红，国君赐给他们酒喝。这时，伴奏者演唱了尾声——一首情歌。这首情歌大概不是当时在场的人真正对舞师表示爱情的歌谣，因为这个表演的场合是国君的公庭，是不允许自由恋爱的。

---

① 《诗经·鲁颂·有駜》：“鼓咽咽，醉言归。”《陈风·宛丘》：“坎其击鼓，宛丘之下。”“咽”“坎”和“简”都是形容鼓声。

② 当时在中原地区，人们还不常骑马，所以我们推断硕人表演的是战车舞。

③ 《左传》隐公五年“考（祭）仲子之官（庙），将万（表演万舞）焉。公问羽数于众仲。对曰：‘天子用八，诸侯用六，大夫四，士二。’”案“八”即“八佾”六十四人；“六”即“六佾”，三十六人；余类推。

二 《大武》舞

《大武》是歌颂周武王灭殷建立封建大国周王朝的乐舞。《周礼·春官·大司乐》记载[①]：以乐舞教国子（贵族子弟），舞……《大磬（韶）》《大夏》《大濩》《大武》。东汉郑玄注："《大濩》，汤乐也。汤以宽治民而除其邪，言其德能使天下得其所也。《大武》，武王乐也。武王伐纣，以除其害，言其德能成武功。"古代的奴隶主阶级和封建阶级，利用艺术来宣扬他们的所谓威德，目的在巩固他们的政权。

商代末年，即公元前11世纪中期，当时并立的以商纣为首的商政权和以周文王为首的周政权的矛盾日益尖锐化。周文王死后，周政权的主要执政人物为周武王（姬发）、姜太公（姜尚）、周公（姬旦）、召公（姬爽）。周公和召公是周武王之弟[②]。

---

① 《周礼》是记述周代官制的书。据学者考证，此书成于战国时代。但书中保存了一些较早的资料。

② 《左传》襄公二十九年。《左传》成书于战国时代，但保存了春秋时代的一些史料。书中记载了一些重大事件，但对细节的描写未必完全可信。

大约公元前1066年，周武王率领战车三百乘，由周原（今陕西岐山）出发，联合一些诸侯小国，进攻商纣，大战于牧野（今河南汲县）。商军倒戈，商朝灭亡。周武王封纣子武庚在原地统治殷（商）民，同时派管叔、蔡叔等就近监视。周武王班师南归，迁都镐京（今西安）。次年，武王病死，子成王嗣位，由周公、召公管理政事。武庚乘机联合管叔、蔡叔以及原商朝的许多属国和与国，共同反叛。周公旦于是二次东征，历时三年，才平定了这场大乱。改封商纣的庶兄微子启于宋（都城在今河南商丘），治理部分殷民。这时周朝的势力到达长江以南的地区。周公、召公在周朝总揽大权；并“分陕而治”，以陕（今河南陕县）之西归召公管辖，陕之东归周公管辖。

《大武》的主题就是反映这一段历史故事的。公元前544年，吴国的季札在鲁国观赏周乐，看到表演《大武》舞时，他说：“好啊！当年周朝的盛况，大概就像这个样子吧？”《乐记》一书曾记载孔子和宾牟贾二人关于《大武》的题材和结构问题的谈话[①]：

① 《乐记》成书于西汉，但其中保存了一些较早的音乐资料。

〔孔〕子曰：居（坐下），吾语汝（宾牟贾）。夫乐者，象成者也。总干而山立，武王之事也。发扬蹈厉，太公之志也；《武》“乱”皆坐，周、召之治也。

孔子认为，乐舞的创作是为了表现伟大事业的成功的。《大武》的舞蹈包含三个重点：第一个重点，舞队手执盾牌，像山一样地巍然而立，这是表示武王的成功；第二个重点，舞队奋勇冲杀，这是表示姜太公的志气；第三个重点，到舞蹈结束时，大家都坐下，这是表示周公、召公的文治。

孔子还继续论述《大武》各段的内容：

且夫《武》，始而北出；再成而灭商；三成而南；四成而南国是疆；五成而分，周公左，召公右；六成复缀，以崇天子。

乐舞一成，即一个段落。缀，指舞者所在的位置。《大武》是由六段组成的：第一段，周武王出周原，北向纣都朝歌（今河南淇县）进军。第二段攻入朝歌，灭商。第三段，班师，南归周原。第四段，南国列入周朝疆土。第五段，周公、召公分职而治，为左右二伯；分陕而治，周公治东部，召公治西部。第六段，舞队回复原位，表示天下安宁，尊崇天子。

还有些舞蹈动作，孔子也做了解释：

> 夹振之而驷（四）伐，盛威于中国也。分夹而进，事早济也。久立于缀，以待诸侯之至也。

“夹振之”大概是指两行舞队挥动干戚（板斧）等道具而言。一伐，即一刺一击的动作。舞队分为两行，挥动干戚，向四方刺击，这表示威震中国。舞队分头行进，这表示大功已迅速告成。舞队站在固定的位置上，很久不移动，这表示等待诸侯的到来。《乐记》采用了孔子和宾牟贾对话的形式，当然是出于假托，但记载的内容必有所依据，可以从这里约略想象《大武》舞的梗概。

古代所谓乐是指乐曲、舞蹈和歌词三者统一的整体而言。《大武》既有舞蹈，必然也有歌词。关于它的歌词，《左传》一书中提供了部分线索[①]：

> 武王克商，作颂曰……

① 见《左传》宣公十二年（前597年）。

又作《武》，其卒章曰："耆定尔功。"其三曰："铺时绎思，我徂维求定。"其六曰："绥万邦，屡丰年。"

这里提到的歌词三章，都见于《诗经·周颂》。《武》不知属于哪一成，在《周颂》中即名《武》篇。第三成的歌词，名《赉》篇。第六成的歌词，名《桓》篇。

这三段的歌词可以定下来了，其他三段的歌词是哪几篇？它们的先后次序如何？这需要根据当时的历史事实、《乐记》中的描写以及歌词的内容，加以比较，才能定下来。许多学者对这个问题已经做过研究。现在参考孙作云以及其他各家研究的成果[①]，把《大武》各段的歌词排列并译注如下：

《大武》舞

第一段

〔历史背景〕周武王率师出周原，向北直趋朝歌至孟津，与诸侯会盟。

〔舞蹈形象〕"始而北出"。"总干而山立，武王之事也。""久立于缀，以待诸侯之至也。"

① 孙作云：《周初大武乐章考实》，见《诗经与周代社会研究》，中华书局。本文采用旧说以及现代名家的见解，不一一注明出处。

〔歌诗〕於铄王师[①]，遵养时晦[②]；时纯熙矣[③]，是用大介[④]。我龙受之[⑤]。蹻蹻王之造[⑥]，载用有嗣[⑦]，实维尔公允师[⑧]。

——《周颂·酌》

〔大意〕啊！强大的王师，本来遵照文王的遗命，处于隐晦状态；现在时代已大放光明，于是被甲执戈而战。我恭敬地继承了这一功业。英勇的文王的将士们，于是又都效力于后继人，唯有你的功业确实足以取法。

第二段

〔历史背景〕周军至牧野，与商军交战。周军以姜太公为前锋，冲入商军阵地。商军倒戈起义，商纣在朝歌自

① 於（wū），叹词。铄（shuò），通“烁”，光辉，盛大。王师，归武王率领的文王之师。

② 遵，指遵照文王遗命。养晦，韬光养晦。处于隐晦状态，不露锋芒。时，是、此。

③ 纯，大。熙，光明。

④ 介，甲。这里用作动词，即被甲而战的意思。

⑤ 我，武王自称。龙，通“龚”，古“恭”字。受，继承。

⑥ 蹻蹻（qiǎo），英勇的样子。王，文王。造，曹、众，这里指将士。

⑦ 载，乃。有嗣，后继者。指武王。

⑧ 尔，你。指文王。公，通“功”，事业。允，诚然。师，效法。

焚而死。商朝灭亡。

〔舞蹈形象〕“再成而灭商”。“发扬蹈厉，太公之志也”。

〔歌诗〕于皇武王，无竞维烈[①]。允文文王，克开厥后。嗣武受之，胜殷遏刘[②]，遏耆定尔功[③]。

——《周颂·武》

〔大意〕啊！伟大的武王，他的功勋无与伦比。文德卓著的文王，为后代开创了业绩。后继者武王继承了这一业绩，战胜了殷商，结束了战祸，完成了你的大业。

第三段

〔历史背景〕武王灭商之后，封纣子武庚统治殷民，武王班师南归镐京。分封大小诸侯国。

〔舞蹈形象〕“三成而南”。

〔歌诗〕文王既勤止[④]，我应受之[⑤]，敷时绎思[⑥]。我

① 烈，功业。
② 殷，商朝后期也称为殷。遏，制止。刘，杀戮。
③ 耆，致，做到。尔，指文王。
④ 止，之。
⑤ 我，武王自称。应，通“膺”，承受。
⑥ 敷，布，推行。《左传》作“铺”。绎，延续。思，语助词。

徂维求定[1]。时周之命，于绎思。[2]

——《周颂·赉》

〔大意〕文王经营过这一功业，我继承下来，发扬光大，使它延续无穷。我去讨伐殷商，只是为了求得安定。这个周国所受的天命，延续无穷。

第四段

〔历史背景〕武王病死，成王嗣位。武庚乘机联合管叔、蔡叔反叛。周公二次东征，平定了这场大乱。周朝的疆域往南扩大到江汉地区。

〔舞蹈形象〕“四成而南国是疆”。

〔歌诗〕於皇时周[3]。陟其高山，嶞山乔岳[4]，允犹翕河[5]。敷天之下[6]，裒时之对[7]，时周之命。

——《周颂·般》

① 徂，往。
② 时，是，此。
③ 於（wū），叹词。
④ 嶞（duó）山，狭长的小山。乔岳，高大的山。
⑤ 犹，通“由”。翕（xì），汇合。河，指黄河。
⑥ 敷（pǔ），通“普”。
⑦ 裒（póu），聚集。时，此。之，以。对，对扬，报答祝颂。

〔大意〕啊！伟大的周国。登上高山四望，大山小山罗列，从山间流出的溪川都汇合到大河。普天之下，万邦来朝，报答颂祝周国所受的天命。

第五段

〔历史背景〕周朝统一。执政大臣周公、召公“分陕而治”。

〔舞蹈形象〕“五成而分，周公左，召公右”。“分夹而进，事早济也”。“夹振之而驷伐，盛威于中国也。”

〔歌诗〕（缺）

第六段

〔历史背景〕周朝建成封建大国，周王是最高的统治者。

〔舞蹈形象〕“六成复缀，以崇天子”。“《武》‘乱’皆坐，周、召之治也”。

〔歌诗〕绥万邦[1]，类（屡）丰年，天命匪（非）解（懈）。桓桓武王，保有厥士，于以四方，克定厥家。於

① 绥，安定。

昭於天[①]，皇以间之[②]。

——《周颂·桓》

〔大意〕绥靖万邦，屡次得到丰年，上天对于周国，永远不会厌弃。英勇的武王统率着将士，征服了四方，安定了国家。啊！他的威德也照耀到上天，伟大的周国代表上天主宰人间。

《大武》六成，应有歌诗六篇，但今本《诗经》中只保存下来五篇。有的学者认为有一篇失传，这种看法比较妥当，不必勉强选诗凑数。这六成的舞蹈形象不同，现存的五篇歌诗的格式不同，可见这六成的乐曲的结构旋律不同。这五篇诗，除《赉》以外，都不押韵。无韵诗也可以唱，也可能是朗诵的祝词。文字艰涩难懂，这里提供的解释，只供读者参考。

从诗的文字推断，《大武》舞的产生是很早的，大概是在周初。至春秋后期，仍然流传，经历五百年，自然有发展变化。最后一段即“乱”段，表示大功告成，已经到了偃武修文的时候了。周公、召公辅佐成王，施行文治，所以说“《武》‘乱’皆坐，周、召之治也”。到了这一段，舞者

① 於（wū），叹词。昭，明。

② 皇，大。间，代。

有坐的动作。古人坐时，两膝着地，身子坐在脚跟上。“六成复缀，以崇天子”，这是结束的一个场面，突出地体现了《大武》的主题思想——尊崇天子。它有鲜明的倾向性，即威慑镇压被统治者以及其他反抗者。

孔子评论过《大武》，他把《武》和《韶》做了比较。他说：“《韶》尽美矣，又尽善也”；“《武》尽美矣，未尽善也”。这里所说的“美”属于艺术标准（形式），“善”属于政治标准（内容）[①]。相传《韶》是歌颂虞舜的乐舞，想必能引导观众进入一个平静的境界；而《武》是歌颂周武王的乐舞，“言其能成武功”，想必充满了刀光剑影。孔子本着王道思想，认为《武》的内容是有缺陷的。

既然《大武》到春秋后期仍然流传，成书于春秋中期的《诗经》就应当全部著录它的歌词，况且孔子了解这个舞蹈，又整理过《诗经》，满以为《雅》《颂》各得其所；那么，今本《诗经》为什么对《大武》各成的唱词记载不全，而且散见两处，先后次序也陷于混乱呢？根据上引记载，可以推测，《武》诗本来包含六章，后来在《诗经》流传过程中，一章失传，五章分离而成为五篇，又另加篇名。其中《武》《桓》用诗中字名

① 《论语·八佾篇》。

篇；《酌》《赉》《般》都不是诗中字，因此，朱熹怀疑这些篇名是“取乐节之名”①，也就是一段舞蹈之名。此说可供参考。《赉》《般》篇名的来历不详。

三 《大濩》舞

《大濩》是祭祀商王朝的创建者商汤时所用的乐舞，来历不详，大概是商民族在祭祖典礼上用的。公元前544年，吴季札在鲁国观赏周乐，看到表演《大濩》时，他说：“表现了圣人宽宏大量的品德，却好像还有于心有愧的情绪。圣人处世也是很不容易的。”②这段评论很抽象，大概是针对商汤灭夏的事迹而言，表现了维护君臣从属关系的思想。

自西周以来，宋国是商民族比较集中的地区。《诗经·商颂》就是宋国公室祭祀祖先的乐歌。《商颂·那》篇说：

〔唱〕〔1〕猗与那与③，置我鞉鼓④。奏鼓简简⑤，衎

① 朱熹《诗集传》（《周颂·酌》）。

② 《左传》襄公二十九年。

③ 猗那，婀娜，摇晃的样子。与，通“欤”，语助词。

④ 置，设置。鞉（táo）鼓，手摇鼓。

⑤ 简简，与上文“咽咽”、下文“渊渊”都是形容鼓声。

我烈祖[①]。（鼓、祖，虞韵）

〔2〕汤孙奏假[②]，绥我思成[③]。鞉鼓渊渊，嘒嘒管声[④]。（成、声，庚韵）

〔3〕既和且平，依我磬声。於赫汤孙[⑤]，穆穆厥声[⑥]。

〔4〕庸鼓有斁[⑦]，万舞有奕[⑧]。我有嘉客，亦不夷怿[⑨]。（斁、奕、客、怿，陌韵）

〔5〕自古在昔，先民有作[⑩]。温恭朝夕，执事有恪[⑪]。（作、恪，药韵）

〔和〕顾予烝尝[⑫]，汤孙之将[⑬]。（尝、将，陌韵）

有的学者指出这篇诗就是《大濩》的歌词，这个论断是有道理

---

① 衎（kàn），娱乐。烈祖，有功勋的祖先。指商汤。
② 汤孙，商汤的后代子孙。奏，进，祈祷。假，格，来临。
③ 绥，读为“遗”（wèi），赐予。思，语助词。成，成就。
④ 管，古代的一种管乐器。据记载，其形状如竖笛而小。嘒嘒，形容管声。
⑤ 於（wū），叹词。赫，显赫。
⑥ 穆穆，深厚柔和。声，指乐声。
⑦ 庸，通“镛”，大钟。斁（yì），声音洪大。
⑧ 奕，次序井然。
⑨ 夷怿（yì），喜悦。
⑩ 作，作为。
⑪ 恪（kè），恭敬。
⑫ 顾，顾念，光顾。烝、尝，都是祭名。这里指祀典。
⑬ 将，奉献。

的。按《国语·鲁语》记载：

> 昔正考父校商之名颂十二篇于周太师，以《那》为首。其辑之“乱”曰：“自古在昔，先民有作。温恭朝夕，执事有恪。”

正考父的卒年在春秋末期，而《诗经》成书则在春秋中期，因此，可以推断《商颂》的产生当在春秋中期以前。“自古在昔”四句是《那》篇的“乱”段。《那》过去不分章，现在分为整齐的五章，最后剩余两句：“顾予烝尝，汤孙之将。”前五章为唱词，属于“唱”的部分；最后两句是“和”的部分，可能是巫祝朗诵的祝词。

现在再分析一下《商颂·烈祖》篇的结构。这一篇原来也不分章，实际上可以分为整齐的五章，外加两句祝词：

> 〔唱〕〔1〕嗟嗟烈祖[1]，有秩斯祜[2]。申锡无疆[3]，及

---

① 嗟，赞叹词。

② 秩，大。祜（hù），福。

③ 申锡，厚赐福禄。

尔斯所[①]。（祖、祜，麌韵；所，语韵）

〔2〕既载清酤[②]，赉我思成[③]。亦有和羹[④]，既戒既平[⑤]。（成、平，庚韵）

〔3〕奏假无言[⑥]，时靡有争[⑦]。绥我眉寿[⑧]，黄耇無疆[⑨]。（争，庚韵，疆，阳韵）

〔4〕约軝错衡[⑩]，八鸾鸧鸧[⑪]。以假以享[⑫]，我受命溥将[⑬]。（鸧、享、将，阳韵）

〔5〕自天降康[⑭]，丰年穰穰[⑮]。来假来飨[⑯]，降福无疆。

---

① 尔，指主祭者。斯所，此处。

② 载，陈列。酤，酒。

③ 赉（lài），赐予。

④ 和羹，调好的羹汤。

⑤ 戒，严肃。平，平静。

⑥ 奏假，祈祷祖先来临。

⑦ 靡，无。争，通“铮”，乐声。（见高亨《诗经今注》。）

⑧ 绥，赐。眉寿，长寿。

⑨ 黄耇（gǒu），长寿。

⑩ 约，缠裹。軝（qí），车轴两端露出毂外的部分。古代贵族的车，用革裹軝。错，雕绘花纹。衡，辕端横木，用以驾马。

⑪ 鸾，通“銮”，衡上的铃铛。鸧鸧（qiāng），同“锵锵”，铃声。这两句描写宋君前来致祭的情况。

⑫ 假，来临，这里是祈祷降临的意思。享，享用祭品。

⑬ 溥（pǔ），广。将，大。

⑭ 康，安乐。

⑮ 穰穰（ráng），丰盛。

⑯ 飨，享用，吃。

（康、穰、飨、疆，阳韵）

〔和〕顾予烝尝，汤孙之将。

章句结构和《那》完全相同，内容也是歌颂商汤的，那么，这一篇也可能是《大濩》的歌词。

《那》《烈祖》两篇和《大武》有不同之处。这两篇不是表演故事情节，而是描写举行祭祀和表演乐舞的情况，赞美祖先的功绩，表达祈祷祝福并自勉的意愿等。就音乐说，用的乐器有鼓、管、磬、大钟等。这里所说的钟磬大概是指编钟、编磬而言。演奏时有时以钟鼓为主，“鞉鼓渊渊，嘒嘒管声”，“庸鼓有斁”，声音洪大，有时以磬为主，“穆穆厥声”，声音深厚柔和。就舞蹈形象说，“猗兮那兮”，舞者可能拿着鞉鼓，手臂摇晃，姿态优美，而且“万舞有奕”，动作熟练，舞队配合协调，有条不紊。从这两篇诗可以想象当时祭祀和表演歌舞的场面和气氛。它的规模当然是不能和《大武》相比的。

《那》篇的第五章是“乱”，那么，《烈祖》的第五章也可能是“乱”。下余的最后两句是祝词。

《诗经》中这几个例子，反映了西周和春秋时代舞蹈艺术的成就。“乱”都出现在比较长的乐舞曲中，是音乐或舞蹈的高潮所在。把“乱”安排在乐舞曲的末尾，一方面企图使人们当时得到艺术欣赏的最大满足；一方面企图给人们留下一个深刻的鲜明的最后印象，长期缭绕在记忆里，影响他们的思想感情。《硕人》的最后一段如果是“乱”的话，它加强了热烈激动的艺术效果。“《武》‘乱’皆坐”，加强了宣扬封建统治人物的艺术效果。《那》和《烈祖》篇的“乱”段，加强了当时统治阶级推行道德教育和祭祖祈福的艺术效果。古代的艺术家在长期实践过程中探索到一些创作规律。

（《舞蹈论丛》1982年第4期）

从敦煌壁画论唐代的音乐和舞蹈

伟大的祖国的历史永远鼓舞着我们兴奋而骄傲的心情。我们的祖先——中国过去的劳动人民，用体力和智慧换取来了辉煌无比的艺术贡献。敦煌文物是其中的一个角落。国立敦煌文物研究所（编者按：1950年改组为敦煌文物研究所，1984年扩建为敦煌研究所）常书鸿所长和许多工作同志，辛苦地描绘研究了八年，现在把那些珍贵文物介绍给我们。我怀着无限愉快，准备借壁画的帮助来简单地叙述一下唐代的音乐和舞蹈。

唐代的乐舞是中原的乐舞和西域乐舞相融会之后的综合性的集中表现，是有国际意义而同时又是中国新的民族形式的高度艺术创造。乐舞的成分从各地吸收了来，但经过酝酿而发扬光大的成就却超过了当时世界上任何地区。从中国荡漾到朝鲜和日本，日本到现在还保存着一部分“唐乐”。

为便于说明唐代乐舞的历史，我们先从中原的古乐舞讲起，次第及于西域乐舞的东传、唐代乐舞的盛行、壁画上见到的乐器以及舞蹈的服饰、姿态等问题。

一

在黄河流域这片富沃的原野上，中原的民族很早就定居下来。和其他各地的民族一样，由于劳动，他们逐渐地产生了各种艺术。在音乐方面，“三分损益法”的乐律学的发明，比奠定西洋乐理基础的希腊数学家毕达哥拉斯（前582—前507年）的同样发明，至少要早几百年。《诗经》不单是古代人民文学创作的结集，而且也是古代人民音乐创作的标志。它描写着琴瑟的谐和、钟鼓的雄壮，还歌颂着魁梧的舞蹈家是如何的健美。孔子的时候（前551—前479年），一般知识分子把琴瑟作为随身不离的乐器。孔门弟子的主修课程中有一门是“乐”。教科书《乐经》虽然失传了，但我们可以知道，那时的音乐理论已经抽象到跟巩固封建秩序的政治哲学相结合，为统治阶级的教育观服务。活泼的民间音乐被统治阶级利用之后，必然趋向僵化；又经过战国时代战争的摧残，那些乐舞就渐渐地消失了。

到了汉代，因为经济与文化有了发展，朝廷又注意到音乐。民间是一切艺术的源泉。汉武帝从各地搜集音乐，设立了一个管理的机构叫“乐府”，因而这次搜集的音乐便称为“乐府”，也称为“清商乐”。清商乐盛行于两汉及曹魏。西晋末年，北中国大乱，晋元帝率领着皇室士族过江，在建业（南京）建立了东晋皇朝。中原文化迁移到江南。清商乐到了江南之后，一直传到南朝的宋、齐、梁、陈各代。北朝的拓跋魏本来和南朝文化缺少接触，它的音乐也没有承继乐府的。公元5世纪末，孝文帝、宣武帝先后进攻江南，才接收了一部分中原旧曲。隋统一北方后，于公元528年平陈，获得了南朝的旧乐，设立“清商署”，仍然使陈的太乐令蔡子元、于普明等来主持，所以七部伎和后来的九部伎中都有清商伎。唐代因袭隋制，所用九部伎和后来的十部伎中也都有清商伎。但清商乐因为本身的残缺贫困及西域乐的日渐盛行，这时不受社会重视了，需要接受新的成分来恢宏它的艺术生命。

中原的民族进入农业社会比较早，宁静的生活状态规定了他们的乐舞旋律，舒缓、悠闲，象征着浓厚的田园意味。有部分乐器体制太大，不便应用，或者发音过于沉闷。这些长期停滞的平淡的风格，都不能满足南北朝以来迅速发展的都市的要求了。由于交通的方便、民族的杂居、工商业的发达，都市里的人欢迎新鲜事物，西域音乐乃伴随着佛教在中原盛行起来。中原的音乐曾经拒绝西域音乐，但没有把它排斥出去。这个结果是不是说明中原的乐舞死亡了呢？不是的。相反，这说明中原音乐和西域音乐汇合之后，经由音乐家长期调整及广大人民长期地选择扬弃，在中国土地上出现了大家喜闻乐见的新艺术，这两种音乐都提高了一步。在那时，没有西域音乐的东传，中原音乐不能有这么大的发展；没有中原音乐的基础，西域音乐也不能成就这样完整的体系与庞大的规模。这伟大事业是在唐代完成的。“唐乐”在世界音乐史上应当有崇高的地位。

二

西域音乐的内容是什么？传入的经过如何？

西域，这个历史上的地理名词，没有固定的疆界，普通就是指我国新疆和中亚细亚一带说的，有时也包括西亚和印度。所谓西域音乐，一部分是中国西部各兄弟民族的音乐，一部分是中亚和印度的音乐。假设推溯西域音乐传入的开端，还应当从公元前2世纪张骞通西域得摩诃兜勒二曲算起[①]。那一次对中原音乐没有起什么大作用。南北朝时代，西域人陆

---

① 崔豹《古今注》《晋书·乐志》。

续地迁到北魏的领域。他们带来了西域文化，带走了中原文化。两种文化的交流原是在不知不觉中慢慢地进行的，并不完全是由于几次事件的偶然刺激。但下列的几项史实是值得注意的：

（一）张重华占据凉州（今甘肃武威）时（346—353年），天竺（印度）乐传到那里①。

（二）吕光、沮渠蒙逊占据凉州时（386—432年），改变龟兹（今新疆库车）乐，称为西凉乐②。

（三）公元435年，北魏太武帝派遣了20个人出使西域，带回来疏勒（新疆疏勒）和安国（中亚的布哈拉）的乐伎③。

（四）公元439年，太武帝攻下凉州，曾迁徙凉州居民于魏都平城（今山西大同），从事建筑工作。大同云冈石窟还保留着他们的建筑雕刻艺术④。

（五）公元493年，孝文帝迁都洛阳，西域人仍然不断地奔涌到洛阳来，因喜欢中原风土而落户的有一万多家。⑤

这些动态无疑地促进了西域音乐向中原的散播。《通典·乐

① 《隋书·音乐志》。

② 《隋书·音乐志》。

③ 《隋书·音乐志》。

④ 《南齐书·魏虏传》。

⑤ 杨衒之《洛阳伽蓝记》卷三。

典》说，从宣武帝（499年）以后才爱西域乐，龟兹琵琶、五弦、箜篌、胡鼓、铜钹、胡舞等，声音洪大，惊心震耳。文帝时（535—551年），有中亚人曹婆罗门，祖孙三代传习龟兹琵琶，都是杰出的音乐家。北齐时期，龟兹乐更盛了。《北史·恩倖传》说，龟兹杂伎封王开府的，人数极多。公元568年，北周武帝娶了一位皇后阿史那氏，从突厥来，西域各国如龟兹、疏勒、康国（中亚的撒马尔罕）等派人组织了一个音乐代表团跟随着到了长安[①]。龟兹人白智通领导着演奏了不少的西域乐曲。飘扬在长安城里的新声感动了一个中原音乐家郑译。他跟着乐团里的龟兹人苏祇婆学习琵琶，了解了西域乐的乐律。

公元582年，隋文帝准备整理乐舞，曾掀起音乐家激烈的辩论。郑译也参加了这个工作。在他有名的奏议里，他把苏祇婆七调和中原的七调做了比较研究，肯定了两者是相符的，西域乐律与中原乐律结合起来。他的关于乐律的总结战胜了守旧派，明确了唐乐乐调的组织形式。这种乐制，向达教授认为曾受印度的影响[②]，近年由于考古学上的发现而得到了证明。

---

① 《周书·武帝本纪》《旧唐书·音乐志》。

② 向达：《龟兹苏祇婆琵琶七调考原》（《学衡》第54期，1926年6月出版）。

隋代的龟兹乐分了三派："西国龟兹"、"齐朝龟兹"和"土龟兹"。龟兹乐器成了很普遍的东西。曹妙达、王长通（北齐乐人）、李士衡、郭金乐、安进贵等一些管弦名手，凭着技巧，变为社会上被注意的人物，大家一致倾慕。文帝时设置七部伎：（1）国伎（西凉伎），（2）清商伎，（3）高丽伎，（4）天竺伎，（5）安国伎，（6）龟兹伎，（7）文康伎（礼毕）。后来炀帝又定了九部伎，增加康国伎和疏勒伎。

唐代从高祖到玄宗一百多年，国内统一，政治比较良好，对外侵略又不断胜利，社会经济一般向上发展，因而给音乐的发达制造了有利条件。唐初，不仅宴享沿袭隋制，用九部乐，即伶工舞伎很多是前代旧人。公元640年，九部伎中的"礼毕"被删，而增加"高昌伎"（新疆吐鲁番）及"燕乐伎"[①]，共为十部。

十部伎，朝廷举行宴会时，常归并于坐立两部中。所谓坐部者，即在堂上坐着演奏，立部在堂下站着演奏。公元714年，设置教坊五所：内教坊在皇宫里；外教坊，西京两所，东京两所。皇宫里还有"梨园"和"宜春院"。这都是搜集民间

① 《旧唐书·音乐志》及《张文收传》。

音乐，并安置、训练各种乐伎的所在。各州郡及贵族豪门也都有伎乐。“声音人”的总数达到几万人①。在中国历史上，封建领主们在娱乐方面的穷奢极欲，唐玄宗恐怕是空前的了。他领头来玩儿，其余的自然会效法。教坊的乐伎都做些什么事情呢？（1）朝廷有集会，由他们表演歌舞；（2）使臣因公外出时，教坊乐伎伴随；（3）功臣策勋将，朝廷送与伎乐，伎乐出于教坊；（4）教坊乐伎也可以自由卖艺；（5）他们在业余或年老退休时，则教人歌舞。教坊是为统治阶级而设的，但它对乐舞的推广也发挥了作用；提高乐舞艺术自然归功于辛辛苦苦的乐工和舞工。安史之乱以后，教坊不如玄宗时昌盛了，宣宗时乐工仍有六千五百多人。整个唐代，虽然中唐以后内部纷乱，大多数人民困苦不堪，而音乐的兴盛差不多持续了三百年。

北宋的社会经济情况不及唐代，教坊规模也不及唐代。宋教坊有小儿舞队及女弟子舞队。小儿舞队72人：（1）柘枝队，（2）剑器队，（3）婆罗门队，（4）醉胡腾队，（5）浑臣万岁乐队，（6）儿童感圣乐队，（7）玉兔浑脱队，（8）异域朝天队，（9）儿童解红队，（10）射雕回鹘队。女弟

① 《旧唐书·音乐志》及《张文收传》。

子队153人：（1）菩萨蛮队，（2）感化乐队，（3）抛球乐队，（4）佳人剪牡丹队，（5）拂霓裳队，（6）采莲队，（7）凤迎乐队，（8）菩萨献香花队，（9）彩云乐队，（10）打球乐队。这20队的舞曲和服饰都是沿用唐五代的。南宋高宗偏安江南之后，裁撤了教坊。公元1144年又设置教坊，不久又取消了[①]。朝廷宴会临时召集市上乐伎。一直到这时候，社会上还流行着唐代乐舞的余波。

三

西域乐器大半出于游牧民族，它的特点是轻便而发音响亮。那时的音乐家就西域乐器及中原乐器中挑选了性能相当的一些，把它们配合起来。不知道经过多少次的审音实验，才组成了或大或小的管弦乐队，能够演奏复杂的曲调，表现深微的情感。和这相适应的，自然有复杂的乐曲及舞法。

北魏的音乐还没有分部；乐队的组织，史书上也没有记载。敦煌石窟的北魏壁画有伎乐图，我们选了几幅：

---

① 《宋史·乐志》。

第一图　敦煌四二八窟

琵琶　箜篌　横笛　腰鼓

第二图　敦煌二八八窟

法螺　铜铙

第三图　敦煌二八八窟

箜篌　五弦

两个箜篌都是竖箜篌，形状稍有不同；弹法也不同：第一图用双手，第三图用左手。

第四图　敦煌二八八窟

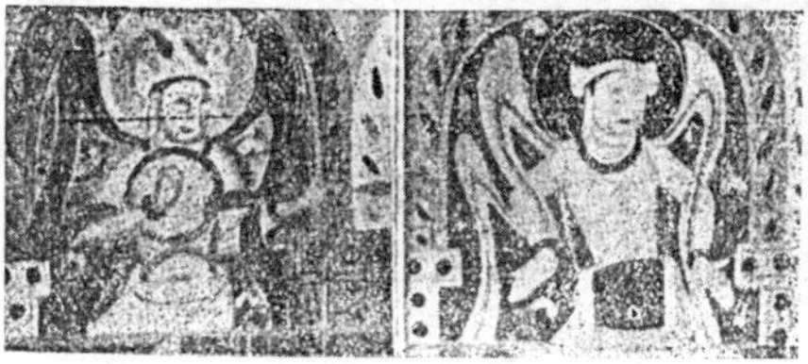

秦汉琵琶（阮咸）　　　　齐鼓

第五图　敦煌四三一窟

胡角

我们再看看北魏修的大同云冈石窟的壁画。

第六图　云冈第十窟　入口上窗

腰鼓　横笛　法螺　琵琶　箫　筚篥

第七图　云冈第十二窟　藻井

齐鼓（放大）

琵琶　筚篥　腰鼓

这些是5世纪末叶的作品。北魏开凿的洛阳龙门石窟，第三窟的藻井——6世纪初年的作品，也有伎乐图，能辨识出的乐器有笙、横笛、筝、箫（形状较窄）等①。

云冈石窟和龙门石窟的壁画里没有发现箜篌，也许这时候在这些地方还不流行。

唐代的乐队规模很大，用的乐器很多而且很复杂。现在把十部伎的乐器列表比较如下②：

十部伎所用乐器比较表

（一）	（二）	（三）	（四）	（五）	（六）	（七）	（八）	（九）	（十）
燕乐	清商	西凉	天竺	高丽	龟兹	安国	疏勒	康国	高昌
编钟	编钟一								
玉磬一	编磬一	编磬一							
	独弦琴一								
	击琴一								
	瑟一								

① 关于云冈石窟和龙门石窟壁画时代的推断，详见阎文儒《龙门与云冈》（稿本）。

② 《旧唐书·音乐志》《新唐书·礼乐志》。康国部乐器中注星号者是根据《隋书·西域传》增补的。

续表

（一）	（二）	（三）	（四）	（五）	（六）	（七）	（八）	（九）	（十）
大小琵琶一	秦琵琶一	琵琶一	琵琶一	琵琶一	琵琶一	琵琶一	琵琶一	琵琶★	琵琶二
竖箜篌一	竖箜篌一	竖箜篌一		竖箜篌一					
		竖箜篌一		竖箜篌一	竖箜篌一	竖箜篌一	竖箜篌一	箜篌★	竖箜篌一
大小箜篌一			凤首箜篌一						
筑一	筑一								
搊筝一	筝一	搊筝一		搊筝一					
		弹筝一		弹筝一	弹筝一				
毛员鼓二			毛员鼓一		毛员鼓一				
连鞉鼓二									
	节鼓一								
			羯鼓一				羯鼓一		羯鼓二
桴鼓二									
		腰鼓一		腰鼓一	腰鼓一	正鼓一	腰鼓一	正鼓一	腰鼓二
		齐鼓一		齐鼓一	骑鼓一	和鼓一		和鼓一	

续表

（一）	（二）	（三）	（四）	（五）	（六）	（七）	（八）	（九）	（十）
		檐鼓一		檐鼓一	檐鼓一				
			都昙鼓一		都昙鼓一				
					答腊鼓一		答腊鼓一		答腊鼓二
					侯提鼓一		侯提鼓一		
					鸡娄鼓一		鸡娄鼓一		鸡娄鼓二
大小笙一	笙二	笙一		笙一	笙一				
笛一	笛二	笛一		义觜笛				笛二	
短笛一		横笛一	横笛一		横笛一	横笛一	横笛一		横笛二
箫一	箫二	箫一		箫一	箫一	箫一	箫一		箫二
	篪二								
方响一	方响一								
铜钹一		铜钹二	铜钹二		铜钹二	铜钹一		铜钹二	
	跋膝二								
吹叶一	叶一								

续表

（一）	（二）	（三）	（四）	（五）	（六）	（七）	（八）	（九）	（十
大小五弦一		五弦一	五弦一	五弦一	五弦一	五弦一	五弦一	五弦★	五弦
大小觱篥一		觱篥一	觱篥一	大觱一	觱篥一	觱篥一	觱篥一		觱篥
		小觱篥一		小觱篥一					
				桃皮觱篥一					
贝二		贝一	贝一	贝一	贝一				
									铜角

这是朝廷里乐队组织的记录，一般的乐队未必都是这样完备。

壁画上的乐队，最少的两个人，最多的十八个人。下面，我们选择了几幅：

第八图　敦煌二二〇窟

（初唐）

筝	箫	竖笛
方响	筚篥	
五弦		
横笛	横笛	
都昙鼓	腰鼓	拍板
	腰鼓	

第九图　敦煌二二〇窟

（初唐）

拍板　竖笛　筚篥

铜钹　箜篌　笙

拍板　法螺

答腊鼓

腰鼓　横笛

羯鼓

第十图　敦煌一二七窟

（盛唐）

箫	羯鼓	舞	舞	箜篌	笙
拍板	鸡娄鼓	（腰鼓）	（琵琶）	阮咸	筚篥
法螺	毛员鼓			琵琶	竖笛
横笛	答腊鼓			筝	拍板

第十一图　敦煌二〇一窟

（中唐）

箜篌	拍板
箫	笙
筚篥	横笛
琵琶	羯鼓

第十二图　敦煌八五窟

（晚唐）

箜篌	拍板	法螺
琵琶	横笛	铜钹
五弦	筚篥	腰鼓

第十三图　敦煌八五窟

（晚唐）

竖笛	拍板	横笛
法螺	箫	笙
腰鼓	筚篥	琵琶

第十四图　敦煌八五窟

（晚唐）

腰鼓	答腊鼓	答腊鼓（？）
	羯鼓	鸡娄鼓

第十五图　腰鼓（杖鼓）

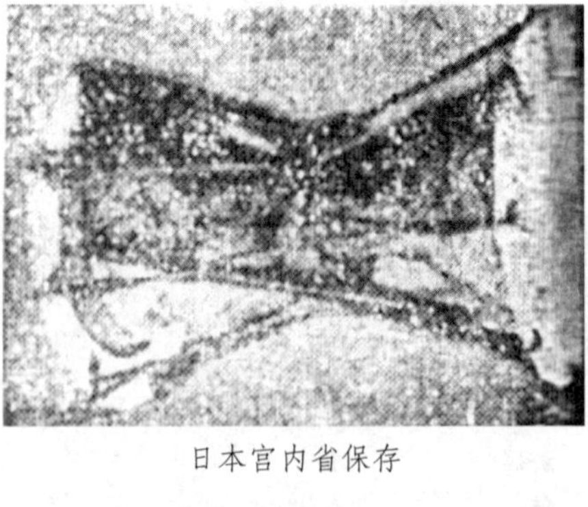

日本宫内省保存

第十二图、第十三图两幅所画的是一个乐队而分列两旁。

人数较多的乐队都有鼓，鼓的位置常排列在前面。打羯鼓（或其他鼓）的人是乐队的指挥。唐玄宗说，羯鼓是八音的领袖，也许是指它的领导作用。现在京剧及各地方剧乐队的指挥就是打苏鼓（单皮）的。第八图打鼓者的左胳膊上、第九图打鼓者的帽子上都有与众不同的标记，第十图打羯鼓者的帽子特别高耸。这些都表示他们的特殊地位。

我们把壁画上见到的乐器，试探着加以说明：

（一）腰鼓　从西域传来的鼓，有几种的样式都是两头粗，中间细；鼓壁，大的用瓦，小的用木头。挂在腰里用手拍打的，叫作“腰鼓”或“带鼓”。唐代还有“正鼓”“和鼓”的名目，其实都是腰鼓。正鼓为主，和鼓配合它发音。有时右手用杖敲，左手用手拍，就叫作“杖鼓”。阿拉伯现在还有用瓦做鼓壁的，在中国已经不见了。

（二）都昙鼓　《通典·乐典》说：“似腰鼓而小，以小槌击之。”参看第八图。

（三）毛员鼓　《通典·乐典》说“似都昙鼓而稍大”，没说用槌敲，想必是用手拍了。都昙鼓和腰鼓的区别，最显著的就是一个用小槌敲，一个用手拍。而毛员鼓和腰鼓则不容易分辨，因为在画上看不出尺寸的大小。第十图毛员鼓和腰鼓在同一幅画面上，大小的比例较为显明，所以我们认为小的是毛员鼓。

（四）羯鼓 《通典·乐典》说："正如漆桶，两头俱击，以出羯中，故号羯鼓，亦谓之两杖鼓。"羯鼓下面垫着小床或木架，参看第十图及第十四图；或者放在地上，参见第九图。

通常用两根鼓杖（杖长、槌短）敲打，声音很高。唐代宋璟称赞唐玄宗打羯鼓的技术说："头如青山峰，手如白雨点。"打得紧，所以需要手的动作敏捷。有时只用一根鼓杖敲，另外一头用手拍，参看第九图。羯鼓的样子大概也并不是完全一致，第九图的就比较短。第十一图的鼓跟一般羯鼓的样子不同，但就它的位置和敲法而论，我们也暂时认为是羯鼓。

第十六图 羯鼓

日本信西古乐图（唐舞绘）

第十七图　羯鼓

日本宫内省保存

（五）鸡娄鼓　两头较小而中间较粗。演奏时常常配合着鼗鼓一起用，鸡娄鼓挂在臂腋底下或抱在胳膊里，一手拍鸡娄鼓，一手摇鼗，参看第十图及第十四图。鼗（鞉），用两个或三个小鼓重叠着，穿上一根长把，两边系小圆槌，摇起来，圆槌自打鼓面。现在北方流行的鼗鼓只有一个鼓，叫“货郎鼓”。农村中打凤阳花鼓用的鼓像以前的鸡娄鼓；形状比较细长的，现在叫“腰鼓”。

第十八图　鼗鼓

日本宫内省保存

（六）答腊鼓　如羯鼓而宽短，用手指弹敲，也称“揩鼓”或“指鼓”。通常是鼓面比较鼓壁宽，突出一周边缘，如第十四图后排中间的一个；有时鼓面和鼓壁取齐，如第九图。第二十图也是答腊鼓的样子，只是挂在腰里用小槌敲打。第十八图后排右端第一人拿的鼓，宽而薄，用右手指弹奏，这也许是揩鼓的一种。新疆维吾尔族用的手鼓，称为“答普”，一面有皮，皮的里面画着花纹，鼓壁上镶着碎骨花，周围钉着许多小铜环，用手指弹敲鼓面，同时小铜环也发出声响。唐代张祜《周员外席上观柘枝》诗说“画鼓拖环锦臂攘”，可能是指的这种小鼓。类似乎这种样子的鼓，法文称“昙不腊”，英文称“昙波铃”（tambourine），阿拉伯人称“塔波儿”，都是源于同一语根。

第十九图　揩鼓

信西古乐图

第二十图　敦煌三二九窟

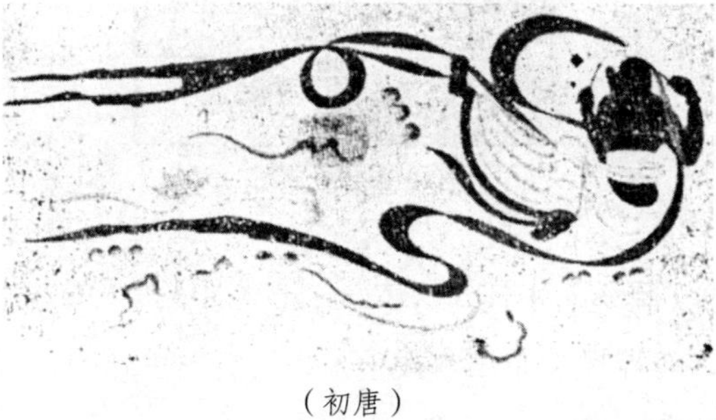

（初唐）

（七）齐鼓 陈旸《乐书》卷一二七说：“状如漆桶，一头差大，设齐（脐）于鼓面，如麝脐然。”参看第四图及第七图。龟兹部有“骑鼓”，不知是否即齐鼓。

（八）琵琶（曲项琵琶） 是从西亚经由中亚传来的乐器，唐代常称为龟兹琵琶，四弦，颈端弯曲。唐琵琶都有“捍拨”。捍拨是琵琶面上的一个区域，在弦下面，镶嵌或图绘各样花纹。多用木拨子弹，也有用手指弹的。

第二十一图 手鼓

新疆维吾尔族用

（九）五弦 也称五弦琵琶，是从西域传来的，比琵琶多一条弦，有捍拨。原用木拨子弹，后有用手弹的，所以也称为“掐琵琶”。

（一〇）阮咸（直项琵琶） 原称“秦汉琵琶”、“秦汉子”或“秦琵琶”，是从西域的“弦鼗”（弦鼓）演变而成的。颈长而直，腹圆。参看第四图及第十图。武则天时，蜀人蒯朗从古墓里得到了这种乐器，因为它和晋竹林七贤图中阮咸所奏的琵琶相同，于是称为阮咸。

（一一）箜篌 壁画上出现的都是竖箜篌，也称擘箜篌，源于亚述、巴比伦、埃及、希腊各地的竖琴（哈铺“harp”）。

（一二）筝 也称秦筝，是秦地的乐器，发音比琴瑟响亮。

（一三）箫 中原旧有乐器。古人所说的箫都是排箫，也叫“比竹”或“籁”。把一些长短不等的竹管依次排列在一起，夹在木框里。排列这些竹管的样式有许多种。有的是一头高，逐渐地低下来；有的是竹管的长短相等，排成矩形或扇形。竹管相等而发音所以有高低是因为竹管里灌腊有深浅的差别。北魏和隋代的箫大多数是短管占三分之二，长管占三分之一。这样式到唐代就很少了，唐代的多半是矩形。日本所传的古箫是把高低不等的竹管用绳子编起来的，如第二十二图，这恐怕是最原始的形式了。古人吹箫的方法大概像现在吹口琴。

第二十二图　古箫

日本所传

（一四）筚篥　或写作“觱篥”，出于龟兹。竹管较粗而短，上口按芦簧，发音柔和。后来在下端加一喇叭，就是“唢呐”，新疆和内地都很流行。

（一五）笛　管细而长，也称羌笛，是从西域传来的。古代音乐书上说笛常是指的竖笛（纵笛），说横笛则常标明“横”字。新疆维吾尔族把横笛和纵笛都称为“奈伊”，阿拉伯人称纵笛为“奈伊”（nay）。傈僳族称横笛为“筚篥”。

（一六）笙　中原旧有乐器。大的叫竽，小的叫笙。北魏还不常用，到隋唐便成了主要乐器。

（一七）铜钹　出于西域。圆形铜片，在中间突起的地方贯穿上皮条，一只手拿着一面碰打。大钹直径一尺多，小的五六寸。参看第九图及第二十图。现在北方称为“镲”，湖北称“坡”（钹音的转变），是人们常用的乐器。

（一八）铜铙 像小铜碗，下面有把，一只手拿着一个，上下或左右互相撞打。第二图的铜铙是上下打的。在佛教乐器中称为“浮瓯”。敦煌三〇二窟壁画中隋代乐伎一只手托一个，没有把。中原旧乐有“击瓯”。北京卖糖葫芦及汽水的，现在还有用一只手拿着两个小铜碗——一上一下，敲打出有节奏的声音。

（一九）方响 中原旧有乐器，源于铜磬。用发音不同的长方铁片十六枚，分两排悬在架上敲打，形状像编磬，日本称为方磬。参看第八图。

（二〇）拍板 把发音响亮的木片或铁片排在一起，一头用皮条穿连起来，两手拿着拍打，作为节奏。唐初的拍板比较小，后来渐渐地加大了，壁画上有些画得像手风琴。

第二十三图　亚述的铜铙

（二一）角　也称胡角。最初是沙漠地带游牧民族用的，用羊角或牛角制造，声音大而长，能通远方。铜制的叫铜角。唐代乐队里不常用，因为跟别的乐器不调和。山东中部的农村里称吹的羊角为“筚篥”。

（二二）法螺　也称“贝”、“梵贝”或“蠡”，佛教称为法螺。源出于南方沿海一带的民族。有用玉仿制的，叫作“玉蠡”[1]。

---

① 第三节参考书：《通典》卷一四四；《旧唐书·音乐志》；《新唐书·礼乐志》；南卓《羯鼓录》；段安节《乐府杂录》；陈旸《乐书》卷一二五——一三四；《文献通考》卷一三四——一三九。

第八图及第九图有一种乐器，像铜盘子，不知道叫什么。佛教乐器中有“铜钵”，可能跟这个东西有关系；也许是现在京剧乐队用的“镲子”的前身。

壁画上没有发现用弓子拉的乐器。

四

关于乐工和舞工的服饰，唐代的朝廷也有规定，现在列表如下[①]：

部伎	乐工	舞工
燕乐	工人绯绫袍，丝布裤。	舞二十人分为四部：（一）景云乐，舞八人，花锦袍，五色绫裤，云冠，乌皮靴。（二）庆善乐，舞四人，紫绫袍，大袖丝布裤，假髻。（三）破阵乐，舞四人，绯绫裤，锦衿褾，绯绫裤。（四）承天乐，舞四人，紫袍，进德冠并铜带。
清商	工人平巾帻，绯裤褶。	舞四人，碧轻纱衣裙襦，大袖，画云凤之状。漆鬟髻，饰以金铜杂花，状如雀钗，锦履。舞容闲婉，曲有姿态。

① 根据《旧唐书·音乐志》，参酌《新唐书·礼乐志》。

续表

部伎	乐工	舞工
西凉	工人平巾帻，绯褶。	白舞一人，方舞四人。白舞今阙。方舞四人，假髻，玉支钗，紫丝布褶。白大口裤，五彩接袖，乌皮靴。
高丽	工人紫罗帽，饰以鸟羽，黄大袖，紫罗带，大口裤，赤皮靴，五色绦绳。	舞者四人，椎髻于后，以绛抹额，饰以金铛，二人黄裙襦，赤黄裤，极长其袖，乌皮靴，双双并立而舞。
天竺	工人皂丝布头巾。白练襦，紫绫裤，绯帔袈裟。	舞二人，辫发，朝露袈裟。引缠，碧麻鞋。
龟兹	工人皂丝布头巾，绯丝布裤。	舞四人，红抹额，绯袄，白裤帑，乌皮靴。
安国	工人皂丝布头巾，锦褾领，紫袖裤。	舞二人，紫袄，白裤帑，赤皮靴。
疏勒	工人皂丝布头巾，白丝布裤，锦襟褾。	舞二人，白袄锦袖，赤皮鞋，赤皮带。
康国	工人皂丝布头巾，绯丝布袍，锦领。	舞二人，绯袄，锦领袖，绿绫裆裤，赤皮靴，白裤帑。舞急转如风，俗谓之胡旋。
高昌	布巾，袷袍，锦襟，金铜带，画裤。	舞二人，白袄锦袖，赤皮靴，赤皮带，红抹额。

这是朝廷有集会时乐工、舞工的服饰，一般表演未必都是

这样。壁画里大部分是供奉神的乐舞，宗教意味比较浓厚，跟社会上普通乐队的服饰可能有些差别。

有些规模特别宏大的舞蹈，如“霓裳羽衣”舞者可以多到三百人，这也只有朝廷可以举办；普通的舞蹈就是一个人或两个人。

唐代的舞蹈有“健舞”“软舞”的区别：姿势雄健的叫健舞，姿势柔软的叫软舞。壁画里出现的都是舞的一个“镜头”，而没有连续的动作，所以不容易分辨出是哪一个舞来。

在街道上的乐舞，我们可以看“河西节度使检校张议潮出行图”，仪仗很盛。乐工衣服的颜色不一律，舞工的也不一律。袖筒长大，袖口斜裁。裤子都是白的，都穿着靴子。这一部乐是西凉伎。西凉部舞工用的所谓“假髻”，就男性舞工说，也许是指的头上缠的锦带。

唐岑参《田使君美人舞如莲花北铤歌》说：“高堂满地红氍毹，试舞一曲天下无。”李端《胡腾儿诗》说：“扬眉动目踏花毡，红汗交流珠帽偏。”人在地毡上跳舞，这和壁画上相同。

在房子里跳舞的女舞者，上身裸露着一部分，有的把锦带斜披在肩上，有的穿着宽领舞衫。唐代诗文中所说的“酥胸”“雪胸”，都是描写舞者引人注目的胸部。薛能《柘枝词》形容舞到最紧张时，“罗袖半脱肩”，这说明领口必然很大。袖筒有的很长大，袖口斜裁；有的很窄。帽子上缀满了珠翠，有的还钉上铃铛。手腕上都戴着镯子。有的人每只手戴两个镯子，参看第十图，舞起来自然会发出声响，清脆而有节奏。壁画里许多舞者手腕上似乎戴着铃铛，参看第二十四图。张祜《观杭州柘枝诗》说："旁收拍拍金铃摆，却踏声声锦袎摧。"也许是说的手腕上的铃铛。现在新疆维吾尔族跳舞还有戴铃铛的，参看第二十五图。壁画上跳舞者多拿着锦带或其他乐器。舞锦带（彩绸）现在仍然是中国戏剧中的精彩节目。

第二十四图　敦煌一九六窟

张议潮出行图　　　　（晚唐）

大鼓

箜篌	拍板	舞舞舞舞
笙	横笛	
鸡娄鼓	竖笛	
腰鼓	琵琶	舞舞舞舞
	大鼓	

唐代舞蹈以腰部以上为重心，两只胳膊动的花样较多，腿部的活动比较少。唐白居易《霓裳羽衣歌》说“风袖低昂如有情”“翔鸾舞了却收翅”，张祜《舞诗》说：“袅袅腰疑折，褰褰袖欲飞。”都着重上部的描写。新疆维吾尔族的舞蹈有这些象征。《通典·乐典》“拍板”条的注文说：“龟兹伎人弹指为歌舞之节，亦抃之意也。”新疆维吾尔族的跳舞者自己常常用大拇指和中指、食指打着清脆的拍子。参看第二十五图。

第二十五图　跳舞者

现代新疆维吾尔族

五

在敦煌石窟里保藏的许多有价值的写本，都被帝国主义派来“探险”的“学者”们抢走了。其中有舞谱和曲谱。唐代的乐曲，我们在上文说过，是西域情调和中原情调融会统一的声音。长的叫“大曲”，短的叫“杂曲子”。最初因为没有适当的歌词，乐人就选择五言或七言诗配在乐曲里唱；诗人为乐曲而作的歌词自然也都是五七言诗。后来逐渐地发现了拿整齐的诗配合结构参差的乐曲，毕竟难免扞格，才试验着依照乐曲的节拍而填制长短句的曲词，这就是唐宋词的开端。大曲蜕变为南宋及金元的杂剧，杂剧又导引了后来中国戏剧的产生。

第二十六图　敦煌二一七窟

（盛唐）

唐宋大曲，每曲普通分为十二段（遍——乐章）：（1）散序，（2）靸，（3）排遍，（4）攧，（5）正攧，（6）入破，（7）虚催，（8）衮遍，（9）实催，（10）衮遍，（11）歇拍，（12）杀衮。大曲都是舞曲，这些名目跟舞法是分不开的。欧洲在14世纪时出现了一种“连曲”，也称“套曲”（suite），包含（1）前奏曲，（2）缓舞曲“萨拉班特”，（3）快舞曲“亚兰曼特”，（4）四分之三拍慢曲“梅奴爱”，（5）极快曲“鸪浪特”五部分，先慢后急，各部分也可以独立。其性质跟唐宋大曲相类似，与大曲必有渊源关系。

唐代的文化为什么能放出这样的异彩？就产生文化的时代背景说，社会有长期的安定，经济情况比较良好；而疆域扩大，国内外贸易发达，交通频繁，又刺激了科学和艺术的发展。它批判地接受了南朝及北朝的文化遗产；并且不歧视其他民族，不断地吸收中国境内少数民族及国外各民族的文化。眼光投射得远，容量表现得大。唐代的中国人民以世界规模丰富了自己的社会内容。在当时人民生活中，新的音乐和舞蹈曾鼓动了无限的喜悦。关于乐舞的发展，坐享其成的统治阶级曾经起过一些组织作用，但成功则完全由于广大的职业的和非职业的乐人及舞蹈者的努力。

灿烂的祖国文明，是中国人民在那样艰苦的历史条件下创造的。我们要保卫祖国文明，发扬祖国文明，在毛主席旗帜下面，我们选择历史遗产中的适用部分，创造新中国的无产阶级艺术，在今天幸福的人民生活中再增加更多的喜悦。

最后，我要在这里谢谢向达教授、常书鸿所长和阎文儒先生，他们提示我许多宝贵意见，供给我许多宝贵资料。还要谢谢为本文摄影绘图的佟志树先生和赵思训先生。

（1951年4月2日于北京大学）

（《阴法鲁学术论文集》，中华书局2008年版）

我国历史上的民族迁徙与乐舞文化的交流

在我国历史上，各民族或地区之间有多种机缘和渠道进行文化交流，由民族迁徙所引起的文化交流是其中的一种。交流的范围最初仅限于局部地区，尔后，随着社会的发展，范围逐渐扩大，交流内容逐渐丰富。古代的民族迁徙多限于国内各地区，也有跨越国界的。迁徙者也往往是一个民族的一部分或大部分，并非每次迁徙都包括全体成员。现在简略地论述在国内的民族迁徙活动与乐舞文化交流的关系，但只能提出一些问题，还缺乏充分的资料，特别是缺乏社会调查资料。下文所举事例中，有的交流现象并非由于民族迁徙的原因，情况比较复杂，希望读者指正补充。

第一次民族大迁徙大融合

——商代后期和西周初期（约前14—约前10世纪）

商族原是东夷的一支，发展较快。约公元前16世纪，商汤吞并附近的部落后，攻灭夏朝，建立商朝。商朝继续开拓疆域，统治着黄河流域的大部分地区，到了后期，还征讨过西北方向的“鬼方”、西南方向的“荆楚”、东南方向的“鬼方”以及东南方向的“人方”（夷方），势力到达长江。这种连续的规模较大的战争，必然引起有关各族的人口流动和随之而来的文化交流。

周族原是渭水中游地区的一个部落，商朝的属国。前11世纪，周武王联合一些部落和方国，攻灭商朝，建立周朝。周朝两次向东方用兵，并在洛水北岸建立东都洛邑。周朝分封的诸侯，据记载有七十国，周族及其在镐京（今西安）地区所控制的人口大量东迁。周朝把商朝遗民分别集中安排在宋国、卫国和洛邑的成周城，以便监视管理。封商纣王之兄微子启为宋国国君。宋国保存了较多的商文化。周朝在建立和巩固过程中所引起的周族和其他有关各族的人口流动和文化交流，其范围大大超过商朝。

在乐舞方面，如商代甲骨文中有“舞”字，是象形字，像舞人两手各握牛尾之形。这可能是东夷地区舞蹈表演的普遍形式。又如甲骨文中有“隻”字、“濩”字，学者认为即助祭的乐舞名，后世记载中或称为《大濩》。学者还指出，“濩”字像鸟入水之形，是商族信奉鸟图腾的象征。商族最初用《大濩》舞祭祀祖先神，后来用来祭祀商汤。①这些说法都很有道理。《诗经·商颂·玄鸟》篇说：“天命玄鸟，降而生商。”这是一个古老的神话。古代认为玄鸟即燕子。《大濩》舞到春秋时期仍然流传着。这种庄严的国家祀典上用的乐舞，应当有商族传统的艺术风格。

《大武》是个大型舞蹈，分为六“成”（段），各有情节，表示了周武王伐纣战争的过程。经学者考证，这六段歌词至少有五段保存在《诗经·周颂》中。这个舞蹈是周朝国家祀典上用的乐舞，应有周族传统的艺术风格；但其中也可能有因具体情节而采用他族乐舞因素的情况。如“四成而南国是疆”，第四段乐舞表示南国（指江汉地区）已列入周朝版图，这一段会不会具有南国乐舞的特点呢？

据《周礼》记载，周朝规定以乐舞教国子（贵族子弟），

① 参看孙维叔：《商代大濩乐探微》，《中国音乐学》1986年第1期。

乐舞名目中有《大濩》。《周礼》还记载：“旄人掌教舞散乐，舞夷乐”；“鞮鞻氏掌四夷之乐与其声歌”。旄人即指执牛尾而指挥的人。四夷乐指边远地区各族的乐舞。案《周礼》是后出的书，但保存了一些早期的史料或传说。

第二次民族大迁徙大融合

——春秋战国时期（前8—前3世纪）

前771年，镐京遭受申国和犬戎族的联合进攻，西周灭亡，东周迁都洛邑，历史进入春秋时期，周天子名存实亡。从此直至前403年开始的战国时期，诸侯争霸，烽火连年，兼并战争愈演愈烈，民族迁徙频繁，但在客观上促进了文化的交流和融合。

周王室和各诸侯国的乐师不断地搜集并整理各地的乐歌，直至春秋时期未尝中断。同时公卿列士还有献诗的活动。当时采诗献诗的成果，有一部分保存在今本《诗经》里，计三百零五篇，分为“风”“雅”“颂”三大类。风也称为国风，包括十五个国家和地区的具有地方特点的乐歌，绝大部分是民间歌谣。雅分为《大雅》和《小雅》，前者全是贵族作品，后者除贵族作品外也有民歌。颂分为《周颂》、《鲁颂》和《商颂》，都是贵族在宗庙祭神祭祖的乐歌。作品产生的时代，上起西周建国之前，下至春秋中期；产生的地域，主要在黄河流域，也有少数出于江汉流域。这些乐歌可能大部分都有配合的舞蹈。

《诗经·商颂》是春秋时期商族后裔宋国宗庙中祭祀祖先的乐歌，其中很可能保留着商族世代相传的乐舞遗迹。《商颂》中有《那》诗，是祭祀商汤的乐歌，歌词描写乐舞表演的盛况说："庸（镛）鼓有斁，万舞有奕。"大钟大鼓，声音和谐，万舞表演，气势恢宏。清代学者孙诒让认为，这里所说的"万舞"即指《大濩》舞而言。如果《那》诗是配合《大濩》的歌词，那么，《商颂》中和此诗的曲式结构相同，同是祭祀商汤的《烈祖》篇，也应当是配合《大濩》的歌词。两诗都可以分为整齐的五章，每章四句，最后剩余两句，似是祝词。从曲式结构推断，舞蹈也应分五段，每段的形式可能是重复的，比《大武》表演情节的形式要简单一些。

前544年，吴国的公子季札在鲁国"观周乐"，看了《大武》舞，说："美哉！周之盛也，其若此乎！"他看了《大濩》舞，说："圣人之宏（宽宏）也，犹有惭德。圣人之难也！"这是指商汤灭夏的事迹而言，表明了季札维护君臣关系的立场。孔子认为"《武》（《大武》）尽美矣（指形式），未尽善也（指内容）"，表明了孔子的"王道"观点。

当时能演奏许多国家的乐曲的，并不止鲁国一国。1978年在湖北随县曾侯乙墓（曾侯乙死于前433年或稍后）发现的铜编钟上的铭文，就记载着曾国和楚、齐、周、申等国各种律名之间的对应关系，可见是为了演奏各地乐曲用的。曾是个小国，尚且如此，可见有些国家的地方乐舞，已经长期地在各国流传着。

前500年，孔子随鲁定公赴齐国夹谷与齐景公会盟时，史载齐国先“奏四方之乐”，舞者执旌旄戟剑等，“鼓噪而入”，被孔子制止；再“奏宫中之乐”，“优倡侏儒，为戏而前”，又被孔子制止。[①]此事未必可信，但反映了当时“夷狄之乐”的表演状况。这种乐舞大概就是在夹谷聚族而居的“莱夷”的乐舞。莱国原在今山东黄县一带，被齐国攻灭后，部众迁至夹谷。夹谷在今山东莱芜县境。

《诗经》国风《周南》《召南》中的部分作品，出于江汉流域，其中可能有楚国的乐歌。楚国原是汉水北岸一个“蛮族”国家，后来逐渐强大起来，吞并了南方的许多小国和部落，疆域辽阔。楚国人民创造了融合中原文化而又具有地区特点的楚文化。

古书记载，“楚灵王好细腰，而国中多饿人”。[②]以腰细

① 见《史记·孔子世家》。先秦史籍记载此一事件，多有出入。

② 《韩非子·二柄篇》。

为美，大概是楚国的社会风气，并非一个国王的喜好所决定的。战国“宴乐渔猎铜壶”上的演乐图（图一）中，女乐人击编钟、编磬，都采取舞蹈姿势，身材修长窈窕的形象可能反映了楚国的风尚。在楚国，湘水、沅水的美丽景色，不知曾引起多少人的奇妙想象，因而产生了丰富多彩的神话故事和民歌。大诗人屈原根据民歌，加工改写而成的长诗《九歌》中，就包含着不少民间舞蹈形象。《九歌》中的《东君》一篇是祭太阳神的乐舞，它赞颂东君说：“青云衣兮白霓裳，举长矢兮射天狼。操余弧兮反沦降，援北斗兮酌桂浆。”“矢”即箭，“弧”即弓。天空有“弧矢星”，共九星，形如弓箭，神话认为主防盗贼。“天狼”也是星名，主侵掠。弧矢星对着天狼星。“北斗”也是星名。“桂浆”指酒。斗是古代的一种酒器。这几句说，东君腾云驾雾，用弓箭反射天狼，天狼坠落而死，东君已为民除害，于是饮酒以示庆祝。这些动作化为舞蹈，既展现出神话幻境，又富有现实意义，给观众带来了美感。河南信阳楚墓出土锦瑟上的射箭图（图二），可能是射天狼神话的舞蹈形象。这个神话不知是否和相传的周代祀典上大射礼有关。战国时期，楚声楚舞随着文化交流范围的扩大，逐渐传入中原地区。

图一　战国铜壶上的演乐图

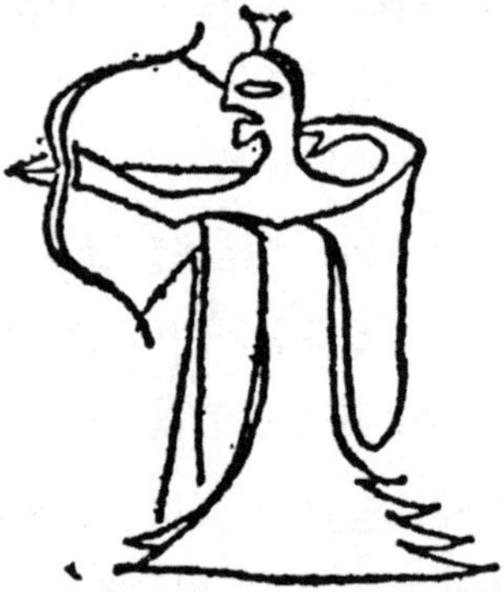

图二　信阳楚墓出土锦瑟上的射箭图
（图片采自孙景琛《中国舞蹈史》先秦部分）

自战国中期，我国北部草原上的匈奴族，乘中原纷争扰攘之时，不断地南侵，与秦、赵、燕三国常发生战争。战国末年，匈奴占领了河套以南的广大地区。这几个国家为了防御匈奴，先后修筑长城，并“移民实边”，因而引起大量的人口流动。

战国末期，楚顷襄王派庄蹻率部属到滇池（今昆明地区）后，庄蹻自立为滇王，他们带去了先进的楚文化。

春秋战国五百年间，经历长期的酝酿，更大范围的民族及其文化的融合终于达到成熟阶段，形成渐趋一致的民族意识。它是促进秦朝统一的一种精神力量。

前221年，秦朝统一。前206年，汉朝建立。秦灭六国以后，令各国旧贵族和豪富之家迁徙到都城咸阳和南阳、巴蜀等地，以便监视。据记载，仅迁到咸阳的就有十二万户。这些豪族迁徙时必定带着奴婢侍从，所以迁徙的总人数是可观的。秦朝统一岭南地区后，设置桂林、南海、象三郡，征发大批的中原居民迁徙到这三郡。秦朝还在西南地区设置行政机构，在北方修筑并连接旧秦、赵、燕长城，防御匈奴。

秦末汉初，原来居住在今甘肃河西地区（黄河以西）的月氏族和乌孙族，因受匈奴逼迫，先后向今新疆伊犁河流域移动。西迁的这部分月氏人，史称大月氏。原来在伊犁河流域游牧的塞种人，则经中亚迁往安息（今伊朗）或迦湿弥罗（今克什米尔）。乌孙定居在伊犁河流域和中亚伊塞克湖一带。大月氏则经过中亚进入大夏。[1]匈奴占领河西地区后，不久又占领今新疆，截断了汉朝与西域的交通要道——“丝绸之路”。所谓西域，初指今新疆地区，后又包括中亚以及南亚、西亚的部分地区。汉武帝于建元二年（前139年）和元狩四年（前119年），两次派遣张骞出使西域，加强了汉朝和西域的联系。汉武帝于元光二年（前133年）开始反击匈奴，先后收复河套及河西等地区，并在河西及西域设置行政及军事机构，保证了丝路的畅通。汉朝还在湟水流域（今青海省）设置行政机构，派内地的汉人西迁，与羌人杂居。在南方和东南方，汉朝平定了赵氏南越政权，将东瓯族（原在今浙江南部）和闽越族（原在今福建北部）迁到江淮之间，与汉人杂居。在东北方，秦代和汉初，有大批的中原居民进入朝鲜。原来住在乌桓山（在今辽宁北部）的乌桓族迁至渔阳（治所在今北京市密云县）等郡的塞外。这样的民族分布格局，保持了一个相当长的时期。

公元25年，东汉王朝建立。匈奴分为南、北两部。后来北匈奴有一部分经中亚西迁。东汉末年已形成三国割据局面，公元220年，东汉灭亡。

秦代末年，起兵反秦者楚人很多。楚汉战争期间，楚霸王

① 大夏，在今阿富汗、巴基斯坦北部。

项羽在垓下（在今安徽灵璧县）被刘邦的汉军包围，“夜闻汉军四面皆楚歌，项王大惊曰：‘汉已得楚乎？是何楚人之多也？’”[1]这时楚声已是广泛流传的一种地方音乐。汉高祖回故乡沛时，自作《大风歌》，令沛中儿“皆和习之”，儿童用的曲调也一定属于楚声。有一次，汉高祖对他的宠姬戚夫人说：“为我楚舞，吾为若（你）楚歌。”[2]因为汉高祖爱好楚声，后宫的祭祀音乐“房中乐”也用楚声。既采用楚声，也必然采用楚舞。

汉高祖曾用“板盾蛮”作战。板盾蛮“天性劲勇”，“俗喜歌舞，高祖观之，曰：‘此武王伐纣之歌也。’乃命乐人习之，所谓《巴渝舞》也。”[3]板盾蛮是古代巴人的一部分，巴国故地在今四川巴县。《巴渝舞》曾在中原长期流传。

秦朝设立过音乐管理机构“乐府”。汉武帝时也立乐府，“有赵、代、秦、楚之讴”。[4]赵、代在北方，秦在西方，楚在南方。这里只是举这四个地区作为代表，实际上汉朝搜集乐歌的范围远远超出了这些地区。东汉的“黄门鼓吹

① 《史记·项羽本纪》。

② 《史记·高祖本纪》。

③ 《后汉书·南蛮传》。

④ 《汉书·礼乐志》。

署”，职责和乐府相同。乐府的乐歌可以分为两大类，即“相和歌”和“鼓吹曲”。前者属于“街陌谣讴”；后者是节奏明朗的乐歌，用于郊庙祭祀、军队、仪仗、典礼中。史载汉灵帝好“胡舞”，不知这里所说的胡舞是指的什么舞蹈。

第三次民族大迁徙大融合

——魏晋南北朝时期（公元3—6世纪）

这个时期是个动荡的时期。除西晋王朝取得短暂的统一局面外，中国处于分裂状态中。西晋末年，北部和西部的少数民族鲜卑、匈奴、羯、氐、羌等陆续内迁，并先后在黄河流域建立政权，连同汉族在这里建立的政权，历史上称为“十六国”。西晋灭亡后，东晋迁都建康（今南京），偏安江南。在河西地区出现过五个政权，即“前凉”、“西凉”（汉族）、“后凉”（氐族）、“南凉”（鲜卑）和“北凉”（匈奴）。公元386年，鲜卑人建立的北魏逐步统一黄河流域，辖区东起辽西，西至今新疆东部，从而形成与南朝对峙的形势。南朝有宋、齐、梁、陈各代的更迭；而北魏后又分裂为东魏和西魏，继而东魏为鲜卑化汉人建立的北齐所取代，西魏为鲜卑人建立的北周所取代。

当时河西地区社会生活比较安定。中原人民不断地迁到这里以至今新疆，新疆以及中亚地区的人民也不断地迁到这里以至中原，其中应包括一些艺人。河西地区既然长期以来有这么多的民族共同生活，那么，代表这个地区的音乐“西凉乐”，应当是当地各族人民共同创造的艺术。但在不同的时期和地方，西凉乐又突出了一方面的特点。在十六国时期（304—439年），鲜卑族的特点较为突出，[①]所以“至魏周之际，遂谓之‘国伎’”[②]。北魏、北周称它为“国伎”，即强调它是代表鲜卑族国家的乐舞。甘肃酒泉丁家闸晋墓壁画中，舞蹈者表演的可能就是鲜卑或匈奴族的舞蹈（图三、图四、图五）。

---

① 参看郝毅：《试探西凉乐民族之源》，《音乐研究》1985年第3期。

② 《隋书·音乐志》。

图三　甘肃酒泉魏晋墓壁画

图四　甘肃酒泉魏晋墓壁画

图五　甘肃酒泉魏晋墓壁画

汉代的相和歌中，有一种规模较大的乐曲称为“大曲”。这种相和大曲的形成和规格化，大概在魏晋时期。曲式分为两大段：第一大段称“艳歌”，分为若干解（乐章）；第二大段称“趋曲”，不分解，配舞。有时最后还加两句“和声”（帮腔），是乐舞活动中的习惯用语，如祝词之类。相和大曲在中原流行之后，即传入新疆地区。当时龟兹（今新疆库车）、疏勒（今喀什噶尔）、高昌（今吐鲁番）等地的乐人，借鉴相和大曲，在各自民间音乐的基础上，整理并创作出不少大曲，即所谓西域大曲。相和大曲为以后唐代大曲的形成建立了基础，而西域大曲经过不断的发展之后，又在唐代传入中原，成为唐代大曲创作的借鉴。南北朝乐舞发展的成就，为隋唐乐舞的兴盛，提供了一定的条件。

隋代，突厥分为东西两部，东突厥以蒙古草原一带为中心，西突厥以今新疆、中亚一带为中心。由于突厥屡次进攻，唐朝于630年灭东突厥，659年灭西突厥，在突厥地区设置州府，中亚也归入唐朝版图。西突厥灭亡后，它的许多部落仍在中亚各地游牧。这时已有大批的突厥人在唐朝供职，住在长安。

唐玄宗天宝十四载（755年），发生“安史之乱”，唐军在回纥兵协助下，平息了叛乱，但社会经济遭到严重破坏，唐朝从此江河日下，藩镇割据坐大，阶级矛盾和民族矛盾日益尖锐。这时吐蕃（藏族的祖先）乘机扩张，相继占领陕西和青海的部分地区以及河西地区等处，至唐宣宗大中五年（851年），河西人民在张议潮领导之下，收复了沙州（敦煌）、瓜州（安西）等地。

我国北方的回纥族（维吾尔族的祖先，后改名回鹘），于唐武宗开成五年（840年）受黠戛斯（今柯尔克孜族）攻击，向西迁徙，一支迁入吐鲁番盆地，一支迁入河西地区，一支迁往葱岭（帕米尔）地区。回纥逐渐成为新疆一带的主体民族。

隋朝设立的礼乐机构“太常寺”中，有掌管音乐的部门“太乐署”、“清商署”和“鼓吹署”。隋代初年，宫廷燕（宴）乐置七部乐：（1）国伎（即西凉伎，出于河西地区）；（2）清商伎（传统乐舞）；（3）高丽伎（高丽在今朝鲜）；（4）天竺伎（天竺即古印度）；（5）安国伎（安国即今中亚布哈拉）；（6）龟兹伎；（7）文康伎（礼毕）。又杂有疏勒、扶南（今柬埔寨）、康国（今中亚撒马尔罕）、百济（在今朝鲜）、突厥（我国北方民族）、新罗（在今朝鲜）、倭国（在今日本）等伎。隋炀帝时又加以调整，定为九部，即清乐（清商乐）、西凉、龟兹、天竺、康国、疏勒、安国、高丽、礼毕。这些项目可以反映出当时朝廷已经广泛地搜集到国内外的各种乐舞。但这些只是朝廷举行宴会时乐舞表演的节目单，不能反映当时社会上新音乐的内容。

唐朝的音乐机构，有“太乐署”、“鼓吹署”和教坊。至唐玄宗时，扩大了教坊的规模：外教坊，长安两所，洛阳两所；内教坊和梨园在宫廷里。这些机构专管俗乐，是搜集整理民间乐舞、培养乐工的地方，也是传播乐舞的地方。

唐朝初年沿用隋九部乐，至唐太宗时增加为十部：（1）燕乐（宴乐），（2）清商乐，（3）西凉乐，（4）天竺乐，（5）高丽乐，（6）龟兹乐，（7）安国乐，（8）疏勒乐，（9）康国乐，（10）高昌乐（高昌即今新疆吐鲁番）。这十部乐原是按乐种、地区或国别分的，各有民族特点、地区特点或外来乐舞特点，但后来即逐渐被“坐部伎”和“立部伎”所代替。坐部在堂上坐着演奏，立部在堂下站着演奏。这两部伎的内容，至唐玄宗时也确定下来，都变成了以中原传统和民间乐舞为基础，吸收十部伎及其他乐舞因素，或者就外来乐舞进行改编所创造的大型乐舞。

唐代音乐达到了很高的成就。它是继承了清商乐，以中原地区民间音乐为主体，并吸收了各民族的音乐成果以及外来音乐因素而形成的新音乐。这是就它的发展趋势和整体说的，并不是任何具体乐曲都完全具备这种综合性质。实际上，广大地区的民间乐，都按照各自的传统和规律在发展着，并未受到外来影响。

西安郭杜镇突厥人执失奉节墓出土的壁画舞女图（图六），舞姿和装束都是中原风格，壁画如果是墓主生前生活情况的写照，可见突厥人也欣赏中原舞蹈。执失奉节是执失思九子，葬于武后垂拱元年（865年）。执失思原是突厥一酋长，唐初来长安，授驸马都尉。唐代有大批西域人陆续迁入长安，长期居留，其中有许多乐舞艺人。西安东郊苏思勗墓出土的壁画舞乐图，一个男舞人正在舞筵上表演，相貌是西域人，舞姿具有西域特点。乐队十人都是中原装束，九人演奏，把中原乐器和西域乐器结合起来；有两个站立，伸出手臂，张口歌唱（图七）。墓主葬于玄宗天宝四载（745年），大概生前也是一个西域乐舞的舞者。上文说到张议潮收复了吐蕃占领下的河西，至今敦煌莫高窟还保存着“张议潮出行图”大幅壁画，图中有一组舞蹈场面，可能是吐蕃舞。

图六　西安东郊郭杜镇出土壁画

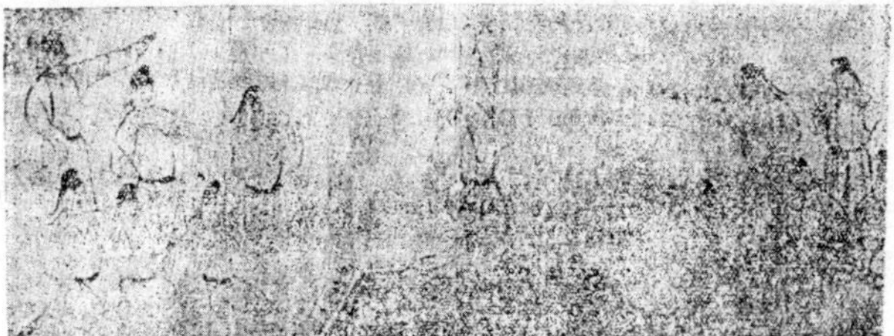

图七　西安东郊苏思勗墓壁画

第四次民族大迁徙大融合

——宋元时期（10—14世纪）

公元907年唐朝灭亡后，至宋朝统一之前，这个时期称“五代十国时期”。十国指南方出现的十个政权；五代指中原地区先后出现的五个朝代，即后梁（汉族）、后唐（沙陀部）、后晋（沙陀部）、后汉（沙陀部）、后周（汉族）。五代中，沙陀部人建立的王朝居其三，必已有大量的沙陀人入居内地。沙陀是西突厥别部。

五代时期，原来分布在今内蒙古一带的契丹族建立了辽朝，辖区逐渐扩大，北至色楞格河，南至今河北、山西省北部。公元960年北宋王朝建立，定都汴京（今开封），统一了南方，但北方有辽朝，西部有党项族，后建立西夏王朝，仍然和北宋并立。1125年东北地区女真族（满族的祖先）建立的金朝灭辽，1127年灭北宋，迁都中京（今北京市）。北宋灭亡后，南宋王朝迁都临安（今杭州）。1234年，金朝在南宋和蒙古联合进攻下灭亡。1206年蒙古族建立政权，1271年定国号为元。1279年元朝灭南宋，统一全国，1368年被明朝取代。

在辽朝即将灭亡时，契丹贵族耶律大石于1124年称王，率部西迁，部属分布在中亚的楚河流域，势力逐渐扩大，疆域包括今新疆西部及中亚东部广大地区。史称西辽。西辽采用了中原的典章制度，1211年灭亡。

宋朝建立后，一时全国出现了相对安定的局面，商业发达，社会经济有所发展。南宋偏安江南后，经济继续发展，这种情况为乐舞文化的发展提供了条件。元朝的统一，加强了中原和边疆的联系，当时许多内地的汉人迁往边疆地区，许多边疆各族人民也进入内地，进一步促进了民族和文化的融合。

宋代的音乐，在唐代音乐的基础上又取得了新的进展。唐代以前，搜集整理和传播民间乐舞的工作，主要掌握在官府艺人手里；从北宋以后，则主要掌握在民间艺人手里。北宋也设立了教坊，但规模远不及唐代。南宋迁都临安之后，有时设教坊，有时撤销，有事则临时招集市上艺人表演。而在民间，无论是汴京或临安，艺人已经组成自己的团体，有了固定的表演场所，叫作“瓦子”或“瓦肆”。在金朝和南宋南北对峙的时候，金朝的中都是北方的文化中心，这里也聚集着大批的职业艺人。他们对乐舞、戏剧的发展都做出了贡献。元世祖灭南宋后，于至元二十一年（1284年）“括江南乐工，明年徙江南乐工八百家于京师（大都——今北京）”。

由于一些民族的迁徙流动，北方和西部诸族的乐舞不断地传入中原地区，丰富了中原乐舞的内容；而大批的外国人迁入中国，带来了他们的乐舞文化，又使中国乐舞增加了新的因素。

如宋教坊小儿舞队中有“射雕回鹘队”，这个舞蹈当来自回鹘族。自唐朝借回鹘兵平定“安史之乱”以后，回鹘人进入中原的很多。又如南宋“官本杂剧段数”中有《单番将胡渭州》，《胡渭州》是大曲名，《单番将》是杂剧名，内容可能是演吐蕃将领故事的；如演吐蕃将领，必采取吐蕃舞蹈。吐蕃曾占领河西一带，当地汉族和其他各族都长期和他们相处，互有了解。而大曲《胡渭州》当然也会有渭州（在今甘肃西部）情调。故事、舞蹈和音乐互相配合起来。

河南焦作市西冯封村金代墓葬，出土舞俑一件，头戴尖顶多角笠子帽，头梳双辫垂于胸前。经学者们考察，认为是蒙古族舞人的形象。[①]案宋金国界在淮河一带，汴京是金朝的东京，今焦作地区距东京不远。金朝派到这个地区的官吏或驻防军中可能有蒙古人，所以陶俑中有这样的形象。元太祖十四年（1219年），派人召道士丘处机（长春真人）等赴西域雪山，他们途经回纥地区的“鳖思马”大城时，回纥王部族“供

① 参看董锡玖：《中国舞蹈史》（宋元部分）第三章。

以异花杂果名香，且列侏儒伎乐，皆中州（中原）人”[1]。鳖思马即别失八里城，在今新疆吉木萨尔县境。宴会时参加表演的艺人都是中原人。现在云南丽江的纳西人还保存着元代的乐曲，相传是元世祖带领蒙古军（其中也有不少的维吾尔人和其他西域人）入滇时留下来的，有歌有舞。这一组乐曲名《别时谢礼》或《白沙细乐》。演奏者仍保留了当年乐工打包头、穿长袍的蒙古装束。案南宋末年，蒙古军即进入云南，战争结束后留在当地屯垦，他们会把蒙古族乐舞带了去。

元至元十三年（1276年）置音乐机构“常和署”，“管领回回乐人”[2]；至元十七年（1280年）置“天乐署”，“管领河西乐人”。[3]而“汉人、回回、河西三色细乐，每色各三队，凡三百二十四人”[4]。回回乐人、河西乐人，数目都不少。河西指今甘肃河西走廊一带。回回本泛指信仰伊斯兰教的人，这里当指今新疆一带。[5]在《续文献通考》中，在“达达”条目下有“回回曲附”，共三曲：《伉里》《马黑某当

① 《长春真人西游记》。

② 《续文献通考》卷一〇二。

③ 《续文献通考》卷一〇二。

④ 《续文献通考》卷一一八。

⑤ 我在《古代中外音乐文化交流问题探讨》（载《中国音乐学》1985年创刊号）一文中，认为“回回”指“回回国”即中亚花拉子模，此说不妥。

当》《清泉当当》。[1]案“达达”或写作“鞑靼”，原是突厥统治下的一个部落，后逐渐强大起来，与后来泛称蒙古族为鞑靼者不同。董锡玖同志指出，《马黑某》很可能就是今新疆的《木卡姆》大曲。[2]这个说法很有道理。如果是这样，新疆《木卡姆》传入内地，至晚也在元代初年，当是西部各族人陆续迁入中原时带来的。

第五次民族大迁徙大融合
——明清时期（17—19世纪）

1368年元朝灭亡、明朝建立后，大量的蒙古人和西部、北部边疆各族人留居中原及西南地区，与汉族及其他各族杂居，共同从事各种劳动。明朝特别注意西北和东北等地区的管理，加强了当地人民和中原人民的联系。

1644年农民起义领袖李自成率部推翻明朝，清军乘机夺取北京，取代明朝。此后，有大批的满族人由东北迁入关内。起义军仍然转战南北，继续坚持反清斗争，农民纷纷响应。同时，明朝的一些残余势力，在清军追击下，先后南迁，至清康

① 《续文献通考》卷一二〇。

② 参看董锡玖：《中国舞蹈史》（宋元部分）第三章。

熙元年（1662年）南明诸政权相继灭亡。在福建坚持抗清的名将郑成功，率领将士数万人渡海，在台湾人民支持下，收复台湾，建立行政机构。中原文化大量地传入台湾。至康熙二十二年（1683年），郑成功的后人归附清朝，台湾与大陆重归统一。

清朝平定“三藩”，平定西蒙古准噶尔部以及回疆上层集团的叛乱，击败沙俄及廓尔喀的入侵，都采取了大规模的军事行动，必然引起人口的流动。

自明末以来，由于躲避战乱或谋求生活的原因，大量的内地汉人移居东北、蒙古、新疆、云南、台湾等地。移入台湾的以福建人和广东人居多数。边疆的少数民族中也有不少人陆续内迁。清朝在新疆各地派军队驻防、屯田，可携带眷属，有很多人就在当地落户。西南地区地广人稀，清朝多次招募汉人前往屯垦。

明代末年，原来在额尔齐斯河流域游牧的我国西蒙古土尔扈特部，经由中亚西迁，至伏尔加河下游地区游牧，后来由于沙俄势力进入这个地区，土尔扈特部不堪沙俄的剥削压迫，于乾隆三十六年（1771年）迁回祖国，清朝安排他们在新疆游牧。

上举明清两朝的各项措施和事件，在客观上加强了民族之间的联系和文化交流。至乾隆时期，中国各民族分布的格局和国家的版图基本上确定下来，这是历史发展的必然规律和结果，有利于中华民族进一步创造自己的文化，其中包括舞蹈文化。

明朝设置乐舞机构“神乐观”和“教坊司”。前者主管祭祀乐舞，以道士为乐舞生；后者主管宫廷宴乐。宫廷宴乐也“奏抚安四夷之舞”，有《高丽舞》《北番舞》《伍鲁速回回舞》等。也有队舞，如《九夷进宝队舞》《万国来朝队舞》等。

清朝初年设置神乐观和教坊司，后改神乐观为“神乐署”，改教坊司为“和声署”。清朝宫廷宴乐中除主要乐舞之外，还安排边疆和邻国的乐舞八种：（1）“瓦尔喀乐”（瓦尔喀在今吉林省东部），（2）“朝鲜乐”，（3）“蒙古乐”，（4）“回部乐”（今新疆乐舞），（5）“番子乐”（今藏族乐舞），（6）“廓尔喀乐”（今尼泊尔乐舞），（7）“缅甸乐”，（8）“安南乐”（今越南乐舞）。

明清时期，在中原地区戏曲盛行，因此，歌舞在城市里单独表演的机会就相对地减少了；但在广大农村和各民族地区，歌舞一直是盛行的。乐舞和戏曲在各民族、各地区之间，始终在交流着。

如明永乐八年（1410年）明成祖派使者李思聪等赴云南

边境调解纠纷，使者深入“百夷”（今傣族）地区，归来后写成《百夷传》一书。书中记载，百夷宴会所用的“大百夷乐”，主要是中原乐舞。[①]又如在广东海陆丰一带仍在流行的西秦腔与陕西的秦腔（东路秦腔——同州梆子）之间，存在着承继流变的亲缘关系；陕西的秦乐与广东的潮乐（潮汕一带的民间音乐），在乐谱、乐调、乐律、乐风等各方面，都存在着许多共性和相似之处。[②]在音乐上既然如此，舞蹈也会有许多共性和相似之处。像潮乐和秦乐的这种关系，恐怕不是少数人传播的结果，而是另有大批人口迁徙的历史背景。

我们考察各民族地区乐舞文化交流的状况，有助于分析各民族、各地区乐舞文化的特点。

（《舞蹈论丛》1986年第3期）

① 王克芬：《中国舞蹈史》（明清部分）第二章第二节。

② 何昌林：《秦乐与潮乐》，《西安音乐学院学报》1984年第3期。

丝绸之路上中外舞乐交流

丝绸之路，指古代中国丝绸从陆路向西方运输的道路。以今西安为起点，往西穿过甘肃的河西走廊，过敦煌后，分为两道：南道，经新疆若羌、和田、莎车等地，越帕米尔，至阿富汗，然后继续西行可至伊朗，转往南行可至印度；北道，经吐鲁番、库车、哈什等地，至中亚撒马尔罕，继续西行，可至伊朗。再由伊朗西行，即至叙利亚及欧洲各地。丝绸之路是中外文化交流之路，是中外人民传统友谊之路。

公元前3世纪以前，中国丝绸已辗转运到欧洲，可见这条古老的商路已经通过不同的地区互相连接起来，开始了经济和文化的交流。至前2世纪汉武帝派张骞通西域之后，丝路畅通已有保证，使节、商旅络绎不绝，包括音乐舞蹈艺术在内的文化交流日益频繁。这种兴旺情况直至十三四世纪的元代以后，才逐渐被海路所代替。

西汉时代的所谓西域，泛指今玉门关以西的广大地区。狭义的范围，指今新疆地区。广义的范围包括中亚、西亚及印度半岛西北部等地。西汉初年，在新疆南部已经出现了一些半农半牧的小国。所谓“国”，实即居民部落。新疆北部居民，主要从事畜牧业。葱岭以西直至地中海，这个广大地区正处于各民族流动频繁的动荡时期，先后出现过许多独立的王国。

当时匈奴是我国北方的一个比较强大的民族。秦汉之际，即公元前3世纪末，匈奴向西域扩展，逐步占领了今甘肃河西走廊地区。原来月氏族和乌孙族分布在这一带，月氏人被匈奴驱逐，大部分迁往今新疆伊犁河流域，史书上称为大月氏，留居原地的称小月氏。原来在伊犁河流域游牧的塞种人，则迁往中亚。大月氏迁居伊犁河流域之后，匈奴又迫使乌孙尾随追击，大月氏于是再迁至阿姆河流域，乌孙定居在伊犁河流域及今中亚伊塞克湖一带，王庭设在湖东南方的赤谷城。塞种人、大月氏和乌孙向西迁移，必然把中国文化带入中亚。

匈奴占领河西走廊后，即截断汉朝与西域的交通要道；不久又占领今新疆境，对当地各族居民进行残酷的统治。前139年，汉武帝派张骞出使西域，准备联合大月氏，共同夹击匈奴。张骞取道今新疆焉耆、疏勒，越葱岭，经大宛（yuān）、康居，[1]到达大月氏、大夏[2]等国，并间接了解到关于身毒（印度）、安息（伊朗）、条支[3]、乌孙诸国的情况。张骞此行在政治、经济、文化各方面，都产生了非常重大的影响。

在张骞返回长安的前一年，汉朝就开始进行反击匈奴的战争，收复河套及河西走廊地区，打开了通西域的道路，打击了匈奴的主力，从此匈奴势力逐渐衰落。

前119年，张骞第二次出使西域。他到了乌孙之后，就派副使分赴大宛、康居、大月氏、大夏、安息等国，进行访问联系。前115年，张骞返回长安，过了一年多即死去。以后，他派出的副使都陆续完成使命，有些并偕同所访各国派来的使臣，回到长安。

汉武帝在西域设置"使者校尉"，作为掌管西域地方政治、经济、军事的最高长官。汉宣帝将使者校尉改为"西域都护"。都护府辖区北至今巴尔喀什湖以东以南，西至塔拉斯河上游、费尔干纳盆地及帕米尔高原等地，从而更保证了丝路的畅通。

西汉末年以后，北匈奴贵族又逐步占领西域。公元73年，东汉王朝反击西域匈奴，班超奉命前往联络当地各政权，共同

---

① 大宛，在今中亚费尔干纳地区。康居，在今锡尔河下游地区。

② 大夏，在今阿富汗北部。

③ 条支，在今伊拉克境内。

击败北匈奴，西域又统一于东汉王朝。北匈奴中有一部分向西迁移，后辗转进入欧洲。公元79年，班超派甘英出使大秦[①]。甘英至安息西界，临大海（今波斯湾），未过海而还。他虽然没有到达目的地，但了解到中亚和西亚的更多的情况。

西汉及东汉时期中外文化交流频繁，但关于舞蹈艺术交流的记载，保留下来的不多。张骞派往安息的副使从那里回国时，安息“发使随汉使来观汉广大，以大鸟卵及黎轩善眩人献于汉”[②]。大鸟指驼鸟。黎轩指罗马帝国。当时罗马也占领了大片的东方土地，所以黎轩眩人未必是欧洲人[③]。眩人或写作幻人，即杂技艺人。杂技不是舞蹈，但其中有些优美的动作和姿势，与舞蹈有相似之处。

前110年至前105年间，汉武帝以细君公主嫁给乌孙王猎骄靡，“赐乘舆服御物，为备官属、宦官、侍御数百人，赠送甚盛。”“公主至其国，自治宫室居。”[④]公主的几百名随从人员中一定有乐舞艺人，他们到了赤谷城，必然对当地以及更远的地区的乐舞产生影响。

---

① 大秦，指罗马及其东方属地。

② 《史记·大宛列传》。

③ 《史记·大宛列传》中记载“条支”国时，也说“国善眩”。

④ 《汉书·西域传》。

后来，汉武帝又以解忧公主嫁乌孙王翁归靡。她居乌孙五十年。约前69年，解忧公主的长女名弟史，来长安学鼓琴。她从长安回乌孙时，途经龟兹，与龟兹王绛宾结婚。前65年，绛宾和弟史一同来长安朝贺，汉朝“赐以车骑旗鼓，歌吹数十人”。“后数来朝贺，乐汉衣服制度，归其国，治宫室，作徼道周卫，出入传呼，撞钟鼓，如汉家仪”。[1]汉朝派去的歌吹数十人中，大概也有舞蹈艺人。中原乐舞传到那里，也会通过丝路辗转传到中亚或更远的地区。

① 《汉书·西域传》。

公元1世纪东汉明帝时，印度佛教通过西域传入洛阳，佛教音乐也必然随之传入。这种佛教音乐起源于印度，但经由西域各地东传时，特别是在中国于阗（今和田）、龟兹地区，必然受到当地乐舞的影响，有些佛曲就是西域各地的乐曲。

公元120年，又有罗马帝国的幻人，经由掸国（今缅甸），到了洛阳。《后汉书·南蛮传》记载：幻人“能变化吐火，自支解，易牛马头。又善跳丸，数乃至千。自言我海西人。海西即大秦也，掸国西南通大秦”。海西，不一定是指今地中海以西，也可能是指波斯湾以西。东汉时吐火、跳丸等杂技在中原地区已很流行，当时的石刻画像和文学作品中都有反映。

《后汉书·五行志》记载，“灵帝好胡服、胡帐、胡床、胡坐、胡饭、胡箜篌、胡笛、胡舞，京都贵戚皆竞为之”。旧史中所谓“胡”，往往泛指我国西部、北部的少数民族及中亚等地人，这里的“胡舞”，不知出于什么地区。

从三国至南北朝时代，即公元3世纪至6世纪，除西晋短期的统一局面外，一直处于分裂动荡的状态。各族人民由于迁徙杂居，日益趋向大融合。民族的融合导致文化的融合。中外文化交流也有了新的发展。

在东晋王朝迁徙江南时期，在北方先后出现过十几个封建政权。在今甘肃一带，有前凉、后凉、北凉三个王朝，都建都于凉州（今甘肃武威）；西凉王朝初建都于敦煌，后迁都于酒泉。这时大批的西域人，包括乐舞艺人，陆续进入甘肃和中原地区。前凉王张重华时（346—353年），天竺（印度）乐传到凉州。384年，后凉王吕光攻占龟兹（今新疆库车），将当地的“奇伎异戏”运回凉州。[①]龟兹乐中已经吸收了中亚和印度的乐舞因素，传到凉州之后，又与当地和中原乐舞结合，成为西凉乐。现在新疆拜城克孜尔石窟、甘肃敦煌莫高窟等处的早期壁画中，都保留着当时中外乐舞交流融合的生动的形象资料。

公元386年，北魏王朝建立。435年，魏太武帝派遣二十人出使西域，带回来疏勒（今新疆疏勒）和安国（今中亚布哈拉）的乐伎。439年，北魏攻下凉州，“得其伶人器服，并择而存之”，运回平城（今山西大同）。现在云冈石窟壁画中也反映了当时中外乐舞交流的情况。

公元493年，北魏迁都洛阳，西域人仍然不断地奔涌而来，长期居留下来的就有一万多家，其中当然包括一些乐舞艺人。此外，来洛阳的西域僧侣中，也会有擅长乐舞的人。

中外乐舞的交流，佛教寺院也是一条渠道。《魏书·释老志》记载：“今之僧寺，无处不有。或比满城邑之中，或连

① 《晋书·吕光传》。

溢屠沽之肆。”“梵唱屠音，连檐接响。”“屠音”即“浮屠”（佛教）之音。唱经时用印度和西域的声腔。当时的洛阳是佛教非常兴盛的都城。《洛阳伽蓝记》一书中，就保存了一些关于寺院乐舞的资料。如：

景明寺。八月节，“京师诸像，皆来此寺”。“梵乐法音，聒动天地。百戏腾骧，所在骈比”。

景兴尼寺。“有金像辇，去地三丈”。“飞天伎乐，望之云表”。“像出之日，常诏羽林（军）一百人举此像，丝竹杂伎，皆由旨（皇帝命令）给”。

景乐尼寺。“至于六斋，常设女乐。歌声绕梁，舞袖徐转，丝竹寥亮，谐妙入神。”“召诸音乐，逞伎寺内。奇禽怪兽，舞抃殿庭，飞空幻惑，世所未睹”。

王典御寺。“至于六斋，常击鼓歌舞”。

寺院的宗教活动也是社会上的娱乐活动。佛教乐舞由僧尼表演，一般乐舞百戏即由社会上的职业艺人表演。有的僧人，如西域乌场国僧侣昙摩罗[①]，也会表演幻术。景兴尼寺有“飞

① 《洛阳伽蓝记》卷四。乌场国（Udyand），在今巴基斯坦斯瓦特（Swat）河畔。

天使乐”，似指雕塑而言。书中没有详细说明各寺壁画的内容。这种佛教乐舞中必有印度及中亚等地的乐舞因素。史书记载，北魏宣武帝以后，“胡舞”盛行，但不知这种舞蹈出于什么地区。

这时我国北方的一个少数民族突厥强盛起来，首领姓阿史那，建立了突厥汗国，辖区最广时东起辽海，西至里海，南至阿姆河南，北至贝加尔湖。公元568年，北周武帝与突厥联姻，皇后阿史那氏，从突厥来，西域各地如龟兹、疏勒、康国（今中亚撒马尔罕）等都派人组成乐队，随着突厥皇后到了长安。乐队中有个龟兹人名苏祇婆，擅长琵琶，他把西域乐律传授给长安音乐家郑译。乐队里大概也有舞蹈艺人。

隋朝统一之后，隋文帝于582年准备整理乐舞，郑译也参加了这项工作。他在奏议里说明了苏祇婆琵琶七调和中原传统乐调的对应关系，把西域乐律和中原乐律结合起来，用琵琶定乐调，比较方便。苏祇婆七调虽然起源于印度，但传入中亚，特别是传到龟兹时有了发展。当时龟兹、于阗等地是乐舞非常发达的地方，当地人民在乐舞方面做出了突出的贡献。

隋朝宫廷乐舞中，先设“七部乐”，后又增为“九部乐”。九部乐中，龟兹伎、疏勒伎是新疆兄弟民族的乐舞，康国伎、安国伎是中亚乐舞，天竺伎是印度乐舞。这些地区或国家都在丝绸之路上。康国伎的舞曲有《贺兰钵鼻始》《末奚波地》《农惠钵鼻始》《拔地惠地》四曲，安国伎的舞曲有《末奚》，天竺伎的舞曲有《天曲》。

公元618年唐朝建立之后，东、西突厥先后重新归属于中央政权之下。唐朝在西域设安西、北庭两都护府，辖区西至里海。边疆各民族与内地的关系更为密切，中外经济文化的交流更为频繁，丝绸之路也出现了前所未有的活跃气象。艺人来往，传播乐舞。

唐代初年，宫廷乐舞沿用九部乐，伶工舞伎也多是前代旧人。其后九部乐中的“礼毕”被删，而增加“高昌伎”（今新疆吐鲁番）和“燕乐伎”，共为十部。康国伎“舞二人。绯袄，锦领袖。绿绫裆裤，赤皮靴，白裤帑。舞急转如风，俗谓之‘胡旋’。”安国伎“舞二人。紫袄，白裤帑，赤皮靴。”天竺伎“舞二人。辫发，朝霞袈裟，行缠（裹腿），碧麻鞋。”这些乐舞传入长安宫廷后，舞者的服饰有些变化，不完全是本来的样式。

唐太宗李世民在继承帝位之前，被封为秦王。当时有宣扬他的事迹的《秦王破阵乐》舞。唐段安节《乐府杂录》记载：“舞人皆衣画甲，执旌旗。外藩镇春冬犒军，亦舞此曲，兼马军引入场，尤甚壮观也。”有舞有歌，规模很大，不但在国内有影响，而且传入印度等国。

公元629年，著名的高僧玄奘前往印度取经。途经龟兹时，亲眼看到当地乐舞发达的情况，认为“管弦伎乐，特善诸国”。这是他周游中亚和印度各地之后所说的，已经做过比较，认为龟兹乐舞超过任何其他地方。龟兹乐舞在国内的影响，中国史书上有较详的记载；对国外的影响也一定很大，可惜保留下来的资料不多。

玄奘西行，过碎叶[①]，至怛罗斯城[②]，在城南十余里处，看到一座小孤城，城中“有三百余户，本中国人也。昔为突厥所掠，后遂鸠集同国，共保此城，于中宅居。衣裳去就，遂同突

① 碎叶，在今中亚托克马克附近。

② 怛罗斯城，今中亚江布尔城。

厥；言辞仪范，犹存本国”[①]。这些人也会把包括乐舞在内的中国文化带到当地，产生影响。

玄奘在印度时，中印度的羯若鞠阇国的戒日王对他说：“尝闻摩诃（大）至那国（中国）有秦王天子”，“氓庶荷其膏育，咸歌《秦王破阵乐》。闻其雅颂，于兹久矣。”东印度的迦摩缕波国的拘罗摩王，也问过玄奘：“今印度诸国，多有歌颂摩诃至那国《秦王破阵乐》者，闻之久矣，岂大德（指玄奘）之乡国耶？”玄奘回答：“然。此歌者，美我君之德也。”[②]传到印度的中国乐舞，当然不止这一种，主要是通过丝路传过去的。

公元714年，唐玄宗设置内、外教坊。这是为封建统治阶级享乐而设置的，也是搜集、创作和传播乐舞的地方。如大曲《龟兹乐》《伊州》出于新疆库车、哈密，都有舞蹈；《柘枝舞》出于石国（今中亚塔什干），《霓裳羽衣》舞中有印度《婆罗门》舞的因素，《拂林》舞出于东罗马帝国或其东方属地。

至于《胡旋》舞和《胡腾》舞，有些学者认为前者出于康国，后者出于石国；实际上，它们可能是两个舞种，前者以旋

① 《大唐西域记》卷一。
② 《大唐西域记》卷一〇。

转动作为主，后者以跳跃动作为主，本来流行于我国新疆及中亚一带，未必即以康国、石国为限。白居易《胡旋女》诗说："弦鼓一声双袖举，回雪飘摇转蓬舞。左旋右转不知疲，千匝万周无已时。"像雪花和蓬草在空中乘风飞舞，迅速的动作超过飞奔的车轮和绕转的旋风。这些形象不是在今天的新疆舞蹈中仍然可以看到吗？刘言史《王中丞宅夜观舞胡腾》诗说："石国胡儿人见少，蹲舞樽前急如鸟。""跳身转毂宝带鸣，弄靴缤纷锦靴软。""乱腾新毯雪朱毛，傍拂轻花下红烛。"李端《胡腾儿》诗说："醉却东倾又西倒，双靴柔弱满灯前。环行急蹴皆应节，反手叉腰如缺月。丝桐忽奏一曲终，呜呜画角城头发。"能蹲下舞蹈；能跳起来，腾空翻跟头，像旋转的轮毂；又能使身体向后弯曲，双手叉腰，像半轮弯月。这些形象也可以在今天新疆和内地的舞蹈中见到。在唐代，胡旋、胡腾也不是康国、石国的特有舞种。

刘诗中说到"傍拂轻花下红烛"，旁边的红烛越燃越短，有人在不断地剪拂烛花。敦煌壁画的乐舞场面中，旁有灯树，有人添油，也是现实的写照。李诗中说"呜呜画角城头发"，这是写的音乐效果。舞蹈结束后，立刻吹起画角，造成一派边塞情调，并非真自城头发出。

唐代还有一种胡旋舞，"舞者立球上，旋转如风"。公元

734年，安国曾派使者送来“拂菻大氍球”，大概就是供这种胡旋舞用的。拂菻也写作拂林。氍球即用毛做的大球。唐代进入中原的中亚舞蹈艺人和他们的后裔，为数不少。其中著名者，如“舞胡”安叱奴、安沓新，可能来自安国；“善弄婆罗门”的石宝山，可能来自石国；米禾稼、米万槌，可能来自米国[①]；曹触新可能来自曹国[②]；康乃可能来自康国。他们如果来自中亚，还有其他来自中亚的舞蹈家，把那里的舞蹈艺术带到了中原。

唐代的大寺院也是社会群众的公共娱乐场所，有些寺院中可能有僧侣艺人——可以称为“艺僧”。《旧唐书·玄奘传》

① 米国，在今中亚撒马尔罕西南。

② 曹国，在今撒马尔罕北面。

记载：唐高宗“造慈恩寺及翻经院，内（指宫廷内）出大幡，敕九部乐及京城诸寺幡盖众伎，送玄奘及所翻经像、诸高僧等，入住慈恩寺”。这里所说的“众伎”似乎不是属于九部乐的，而是属于诸寺的。宋钱易《南部新书》（戊）说：“长安戏场多集于慈恩（寺），小者在青龙，其次荐福、永寿。”这些寺院的戏场中不知是否有僧侣参加表演，但寺中的“俗讲”都由僧尼担任。唐李公佐所著传奇《南柯太守传》中曾说到，禅智寺天竺院有佑延舞《婆罗门》，孝感寺有契玄法师讲《观音经》。这种故事反映了一定的社会现实。契玄是俗讲僧，佑延大概就是个艺僧。

波斯祆教（拜火教）自6世纪即传入中原，到唐代盛行于

长安、洛阳等地。史书记载："每岁胡商祈福，烹猪羊，琵琶鼓笛，酣歌醉舞。"这里所说的"胡商"多半指波斯人，他们的歌舞也多半是波斯乐舞。750年，波斯遣使送来"火毛绣舞筵""长毛绣舞筵"。这种舞筵就是专为舞蹈用的地毯。当时有一种舞服，袖窄而长，也是波斯式的女服。

从文献记载可以推断，当时寺院壁画中的乐舞场面，无论世俗画或经变画，都是以当时的社会现实生活为依据的。只是经变画的题材出于佛经故事，有宗教色彩，而人物的形象、动作和服饰等，又难免带有原始绘画粉本的影响。原始粉本当以印度的社会现实生活为依据。经变画经中亚传入我国新疆，和当地的美术结合，增添了当地社会现实生活的内容和特色，有了很大的发展。如唐代初年，于阗画家尉迟乙僧，对经变画的发展就做出了创造性的贡献。经变画经新疆传入甘肃，又和当地及中原美术结合，增添了当地和内地社会现实生活的特色，又有很大的发展。如敦煌经变画中盛大的乐舞场面，就反映了当时中国乐舞艺术重大成就的一部分；但经变画毕竟是佛教美术作品，总有原始粉本遗留的痕迹。如乐舞艺人赤足赤臂袒胸，原是热带的风俗习惯，印度乐舞传入中原后，艺人服饰已有改变。

经过长期的接触和酝酿，经过广大人民的选择和音乐家、舞蹈家的艺术实践，中原乐舞和西部地区兄弟民族的乐舞结合起来，又吸收了外来的乐舞因素，从而在历史悠久的文化园地里产生了以中原乐舞为主体的新的中国风格的乐舞，即历史上所说的“燕乐”（“燕”同“宴”）。这是就隋唐时代乐舞发展的总趋势说的，并非任何一个具体的乐曲或舞蹈都是如此。

唐代的这种新乐舞，至8世纪的盛唐时期发展到成熟阶段。成熟的标志体现在以下三方面：（1）从文献记载和现存石窟寺壁画以及其他出土文物，可以看到中原乐器和西域乐器结合起来，增强了音乐效果。（2）宫廷乐中具有地区、民族或国家特点的十伎，逐渐向“坐部伎”和“立部伎”转化，至唐玄宗时确定了立部伎六个舞曲，坐部伎八个舞曲，都是以民间或传统乐舞为基础，吸收十部伎或其他乐舞因素，或者就外来乐舞进行改编所创造的大型乐舞形式。（3）公元754年，唐朝公布“供奉曲名及诸乐名”，如《苏幕遮》改名《感皇恩》，《婆罗门》改名《霓裳羽衣》等。改乐名并不只是为了使乐舞名称中原化，而且也意味着对乐舞本身或许已进行了改编或再创作。

唐代文献中常有关于艺人“善弄婆罗门”的记载。《婆罗门》当是梵语的音译，是具有印度佛教色彩的一个舞种。舞者“衣绯紫色衣，执锡钚杖”。中原艺人采取它的乐舞因素，创造成《霓裳羽衣》大型舞蹈。白居易《霓裳羽衣歌》说：“案前舞者颜如玉，不著人间俗衣服。虹裳霞帔步摇冠，钿璎累累珮珊珊。”已经成为中国风格的舞蹈，而且具有道教色彩，但曲调仍然有佛教梵呗的特征。它的结构形式，据白居易歌自注说：开头一大段，“散序六遍（小段）无拍，故不舞”；第二大段“中序始有拍”，舞蹈开始；第三大段，“《霓裳》曲破十二遍而终”，这是高潮部分；最后还有一个尾声，“凡曲将毕，皆声拍促速，唯《霓裳》之末，长引一声”。它在艺术形式上已达到相当高的水平。

自北周时就有一种“泼寒胡戏”，从波斯一带经中亚传入我国新疆及中原地区，有歌有舞，唐中宗时仍然流行。吕元泰上书说：“比见坊邑相率为浑脱队，骏马胡服，名曰苏幕遮。”“胡服相欢，非雅乐也；浑脱为号，非美名也。”表演者“裸体跳足”，持油囊装水，泼洒歌舞，以为笑乐。张说《苏幕遮》诗有“幕遮本出海西胡”之语，这里的“海西”即指波斯一带而言。公元713年，此戏即被禁绝，但所用的舞蹈《浑脱》、歌曲《苏幕遮》却保留下来。浑脱可能是波斯语（Kunda口袋，指油囊）的音译，苏幕遮可能是波斯语Samosa（肩上的披巾）的音译。先是武后末年中原艺人即采取《浑脱》舞，和中国传统的剑舞结合起来，创作成《剑器浑脱》。唐玄宗时，舞蹈家公孙大娘擅长此舞。诗人杜甫在幼年时看了她的表演，50年后记忆犹新。他回忆说：“观者如山色沮丧，天地为之久低昂。”“来如雷霆收震怒，罢如江海凝清光。”公孙大娘在隆隆鼓声中出场，精力饱满，似乎在克制着愤怒的心情。舞蹈开始后，只见蛟龙飞翔，剑影闪耀，观众惊心动魄，神色恍惚，觉得天旋地转，久久不能平静下来。而她本人在紧张的表演结束之后，却态度安详，容光焕发，使人有看到风平浪静的海洋之感。杜甫认为“公孙氏舞《剑器浑脱》，浏漓顿挫，独出冠时”。艺术修养达到了如此高超的境界。此外，唐大曲中又有《醉浑脱》、《羊头浑脱》和《竿木浑脱》等，也都吸收了《浑脱舞》的因素。

公元960年北宋王朝建立之后，西域和内地的政治、经济关系仍然是很密切的。北宋教坊里有小儿舞队和女弟子舞队，其中有些舞蹈可能或多或少地具有外来因素。如柘枝队戴胡帽，胡帽即卷檐虚帽；婆罗门队穿"紫罗僧衣"，"执锡钚拄杖"；菩萨蛮队穿"窄砌衣"，砌衣即僧侣百衲衣；拂霓裳队穿"红仙砌衣"；菩萨献香花队穿"窄砌衣"等。这种舞队表演的情况不详，但从服饰也可以考察乐舞的内容和性质，大概一方面继承了唐代的乐舞遗产，一方面也有新的发展，吸收了新近交流的成果。

南宋于1127年迁都临安（今杭州）。当时的队舞资料有保存下来的。这种形式是在唐宋大曲的基础上发展起来的，除器乐、歌咏、舞蹈外，又增加了朗诵部分，互相穿插配合，形成比较复杂的结构。如队舞《柘枝舞》即包含几个段落，和唐代的《柘枝舞》已大不相同。

自元代以后，海上交通日渐发达，波斯、阿拉伯和印度各地的商人由海路来我国东南沿海进行贸易，丝绸之路上经济文化的交流即相对减少，但它仍然是连接亚欧腹地的交通要道。

阿拉伯有一种讲故事和讲道的文学体裁，称为"木卡姆”，不知何时传入新疆，但至15世纪，即明代中期，已在新疆广泛流行。其后，就在这个歌舞之乡，艺人以木卡姆的名称，创作出丰富多彩的各种大型乐舞形式。有些木卡姆一直流传下来，新中国成立后，经发掘整理，已辑成“十二木卡姆”。这种木卡姆由三大部分组成，包括器乐、歌咏、舞蹈，互相穿插配合，结构比较复杂。还有一种“刀朗木卡姆”，结构形式比较简短。木卡姆与唐宋大曲、宋代队舞有相似之处。

在历史上，丝绸之路联系着中外人民的情谊，促进了中外文化的交流。在舞蹈方面，我国人民和其他有关国家的人民，通过这条渠道，互相取长补短，都丰富了各自的舞蹈内容，提高了各自的舞蹈艺术。从中国舞蹈史看，广大人民和舞蹈家根据社会需要，有选择地吸收了外来舞蹈，而又根据本国风格的准则，对所吸收的舞蹈加以改造和运用，历代都取得了丰富的创作成果和实践经验，值得我们总结和借鉴。

（《舞蹈论丛》1980年第1辑）

国家新闻出版广电总局
首届向全国推荐中华优秀传统文化普及图书

大家小书书目

国学救亡讲演录	章太炎 著 蒙 木 编
门外文谈	鲁 迅 著
经典常谈	朱自清 著
语言与文化	罗常培 著
习坎庸言校正	罗 庸 著 杜志勇 校注
鸭池十讲（增订本）	罗 庸 著 杜志勇 编订
古代汉语常识	王 力 著
国学概论新编	谭正璧 编著
文言尺牍入门	谭正璧 著
日用交谊尺牍	谭正璧 著
敦煌学概论	姜亮夫 著
训诂简论	陆宗达 著
金石丛话	施蛰存 著
常识	周有光 著 叶 芳 编
文言津逮	张中行 著
经学常谈	屈守元 著
国学讲演录	程应镠 著
英语学习	李赋宁 著
中国字典史略	刘叶秋 著
语文修养	刘叶秋 著
笔祸史谈丛	黄 裳 著
古典目录学浅说	来新夏 著
闲谈写对联	白化文 著
汉字知识	郭锡良 著
怎样使用标点符号（增订本）	苏培成 著
汉字构型学讲座	王 宁 著

诗境浅说	俞陛云　著
唐五代词境浅说	俞陛云　著
北宋词境浅说	俞陛云　著
南宋词境浅说	俞陛云　著
人间词话新注	王国维　著　滕咸惠　校注
苏辛词说	顾　随　著　陈　均　校
诗论	朱光潜　著
唐五代两宋词史稿	郑振铎　著
唐诗杂论	闻一多　著
诗词格律概要	王　力　著
唐宋词欣赏	夏承焘　著
槐屋古诗说	俞平伯　著
词学十讲	龙榆生　著
词曲概论	龙榆生　著
唐宋词格律	龙榆生　著
楚辞今绎讲录	姜亮夫　著
中国古典诗歌讲稿	浦江清　著 浦汉明　彭书麟　整理
唐人绝句启蒙	李霁野　著
唐宋词启蒙	李霁野　著
唐诗研究	胡云翼　著
风诗心赏	萧涤非　著　萧光乾　萧海川　编
人民诗人杜甫	萧涤非　著　萧光乾　萧海川　编
唐宋词概说	吴世昌　著
宋词赏析	沈祖棻　著
唐人七绝诗浅释	沈祖棻　著
道教徒的诗人李白及其痛苦	李长之　著
英美现代诗谈	王佐良　著　董伯韬　编
闲坐说诗经	金性尧　著
陶渊明批评	萧望卿　著
古典诗文述略	吴小如　著

怎样阅读现代派诗歌	郑　敏　著
新诗与传统	郑　敏　著
舒芜说诗	舒　芜　著
名篇词例选说	叶嘉莹　著
汉魏六朝诗简说	王运熙　著　董伯韬　编
唐诗纵横谈	周勋初　著
楚辞讲座	汤炳正　著 汤序波　汤文瑞　整理
好诗不厌百回读	袁行霈　著
山水有清音 ——古代山水田园诗鉴要	葛晓音　著
红楼梦考证	胡　适　著
《水浒传》考证	胡　适　著
《水浒传》与中国社会	萨孟武　著
《西游记》与中国古代政治	萨孟武　著
《红楼梦》与中国旧家庭	萨孟武　著
《金瓶梅》人物	孟　超　著　张光宇　绘
水泊梁山英雄谱	孟　超　著　张光宇　绘
水浒五论	聂绀弩　著
《三国演义》试论	董每戡　著
小说《红楼梦》	吴组缃　著　刘勇强　编
《红楼梦》探源	吴世昌　著
《西游记》漫话	林　庚　著
史诗《红楼梦》	何其芳　著 王叔晖　图　蒙　木　编
细说红楼	周绍良　著
红楼小讲	周汝昌　著　周伦玲　整理
曹雪芹的故事	周汝昌　著　周伦玲　整理
古典小说漫稿	吴小如　著

三生石上旧精魂
——中国古代小说与宗教　　白化文　著
《金瓶梅》十二讲　　宁宗一　著
古体小说论要　　程毅中　著
近体小说论要　　程毅中　著
《聊斋志异》面面观　　马振方　著

我的杂学　　周作人　著　张丽华　编
写作常谈　　叶圣陶　著
中国骈文概论　　瞿兑之　著
论雅俗共赏　　朱自清　著
文学概论讲义　　老　舍　著
中国文学史导论　　罗　庸　著　杜志勇　辑校
给少男少女　　李霁野　著
古典文学略述　　王季思　著　王兆凯　编
古典戏曲略说　　王季思　著　王兆凯　编
西洋戏剧简史　　董每戡　著
中国戏剧简史　　董每戡　著
鲁迅批判　　李长之　著
说八股　　启　功　张中行　金克木　著
译余偶拾　　杨宪益　著
文学漫识　　杨宪益　著
三国谈心录　　金性尧　著
夜阑话韩柳　　金性尧　著
漫谈西方文学　　李赋宁　著
历代笔记概述　　刘叶秋　著
周作人概观　　舒　芜　著
怎样学习古代文学　　王运熙　著　董伯韬　编
有琴一张　　资中筠　著
西与东　　乐黛云　著
新文学小讲　　严家炎　著

回归，还是出发　　高尔泰　著
文学的阅读　　洪子诚　著
鲁迅作品细读　　钱理群　著
中国戏曲　　么书仪　著
元曲十题　　么书仪　著
唐宋八大家
　　——古代散文的典范　　葛晓音　选译

辛亥革命　　吴玉章　著
中国历史讲话　　熊十力　著
中国史学入门　　顾颉刚　著　何启君　整理
秦汉的方士与儒生　　顾颉刚　著
三国史话　　吕思勉　著
史学要论　　李大钊　著
中国近代史　　蒋廷黻　著
民族与古代中国史　　傅斯年　著
五谷史话　　万国鼎　著　徐定懿　编
民族文话　　郑振铎　著
史料与史学　　翦伯赞　著
唐代社会概略　　黄现璠　著
清史简述　　郑天挺　著
两汉社会生活概述　　谢国桢　著
中国文化与中国的兵　　雷海宗　著
元史讲座　　韩儒林　著
海上丝路与文化交流　　常任侠　著
中国史纲　　张荫麟　著
两宋史纲　　张荫麟　著
北宋政治改革家王安石　　邓广铭　著
从紫禁城到故宫
　　——营建、艺术、史事　　单士元　著
春秋史　　童书业　著

明史简述	吴　晗　著
旧史新谈	吴　晗　著　习　之　编
史学遗产六讲	白寿彝　著
杨向奎说上古史	杨向奎　著
司马迁之人格与风格	李长之　著
舆地勾稽六十年	谭其骧　著
魏晋南北朝隋唐史	唐长孺　著
秦汉史略	何兹全　著
魏晋南北朝史略	何兹全　著
司马迁	季镇淮　著
唐王朝的崛起与兴盛	汪　篯　著
二千年间	胡　绳　著
论三国人物	方诗铭　著
考古发现与中西文化交流	宿　白　著
清史三百年	戴　逸　著
清史寻踪	戴　逸　著
走出中国近代史	章开沅　著
中国古代政治文明讲略	张传玺　著
艺术、神话与祭祀	张光直　著 刘　静　乌鲁木加甫　译
中国古代衣食住行	许嘉璐　著
辽夏金元小史	邱树森　著
中国古代史学十讲	瞿林东　著
宾虹论画	黄宾虹　著
中国绘画史	陈师曾　著
和青年朋友谈书法	沈尹默　著
中国画法研究	吕凤子　著
桥梁史话	茅以升　著
中国戏剧史讲座	周贻白　著
俞平伯说昆曲	俞平伯　著　陈　均　编

新建筑与流派	童　寯　著
论园	童　寯　著
拙匠随笔	梁思成　著　林　洙　编
中国建筑艺术	梁思成　著　林　洙　编
沈从文讲文物	沈从文　著　王　风　编
中国画的艺术	徐悲鸿　著　马小起　编
中国绘画史纲	傅抱石　著
龙坡谈艺	台静农　著
中国舞蹈史话	常任侠　著
中国美术史谈	常任侠　著
说书与戏曲	金受申　著
世界美术名作二十讲	傅　雷　著
中国画论体系及其批评	李长之　著
金石书画漫谈	启　功　著　赵仁珪　编
吞山怀谷 ——中国山水园林艺术	汪菊渊　著
故宫探微	朱家溍　著
中国古代音乐与舞蹈	阴法鲁　著　刘玉才　编
梓翁说园	陈从周　著
旧戏新谈	黄　裳　著
民间年画十讲	王树村　著　姜彦文　编
民间美术与民俗	王树村　著　姜彦文　编
长城史话	罗哲文　著
人巧与天工 ——中国古园林六讲	罗哲文　著
现代建筑奠基人	罗小未　著
世界桥梁趣谈	唐寰澄　著
如何欣赏一座桥	唐寰澄　著
桥梁的故事	唐寰澄　著
园林的意境	周维权　著

万方安和
——皇家园林的故事　周维权　著
乡土漫谈　陈志华　著
现代建筑的故事　吴焕加　著
中国古代建筑概说　傅熹年　著

简易哲学纲要　蔡元培　著
大学教育　蔡元培　著
北大元培学院　编
老子、孔子、墨子及其学派　梁启超　著
春秋战国思想史话　嵇文甫　著
晚明思想史论　嵇文甫　著
新人生论　冯友兰　著
中国哲学与未来世界哲学　冯友兰　著
谈美书简　朱光潜　著
中国古代心理学思想　潘　菽　著
佛教基本知识　周叔迦　著
儒学述要　罗　庸　著　杜志勇　辑校
周易简要　李镜池　著　李铭建　编
希腊漫话　罗念生　著
佛教常识答问　赵朴初　著
大一统与儒家思想　杨向奎　著
孔子的故事　李长之　著
西洋哲学史　李长之　著
哲学讲话　艾思奇　著
中国文化六讲　何兹全　著
墨子与墨家　任继愈　著
中华慧命续千年　萧萐父　著
儒学十讲　汤一介　著
汉化佛教与佛寺　白化文　著
传统文化六讲　金开诚　著　金舒年　徐令缘　编

美是自由的象征	高尔泰　著	
论美	高尔泰　著	
中华文化片论	冯天瑜　著	
儒者的智慧	郭齐勇　著	
中国政治思想史	吕思勉　著	
市政制度	张慰慈　著	
政治学大纲	张慰慈　著	
民俗与迷信	江绍原　著	陈泳超　整理
乡土中国	费孝通　著	
社会调查自白	费孝通　著	
怎样做好律师	张思之　著	孙国栋　编
中西之交	陈乐民　著	
法律常识	江　平　著	孙国栋　编
经济学常识	吴敬琏　著	马国川　编
天道与人文	竺可桢　著	施爱东　编
中国医学史略	范行准　著	
统筹法与优选法平话	华罗庚　著	
数学知识竞赛五讲	华罗庚　著	

出版说明

“大家小书”多是一代大家的经典著作，在还属于手抄的著述年代里，每个字都是经过作者精琢细磨之后所拣选的。为尊重作者写作习惯和遣词风格、尊重语言文字自身发展流变的规律，为读者提供一个可靠的版本，“大家小书”对于已经经典化的作品不进行现代汉语的规范化处理。

提请读者特别注意。

北京出版社